c o n t e n t s 目次

台灣音樂「師」想起

　　文建會文化資產年的眾多工作項目裡，對於為台灣資深音樂工作者寫傳的系列保存計畫，是我常年以來銘記在心，時時引以為念的。在美術方面，我們已推出「家庭美術館—前輩美術家叢書」，以圖文並茂、生動活潑的方式呈現；我想，也該有套輕鬆、自然的台灣音樂史書，能帶領青年朋友及一般愛樂者，認識我們自己的音樂家，進而認識台灣近代音樂的發展，這就是這套叢書出版的緣起。

　　我希望它不同於一般學術性的傳記書，而是以生動、親切的筆調，講述前輩音樂家的人生故事；珍貴的老照片，正是最真實的反映不同時代的人文情境。因此，這套「台灣音樂館—資深音樂家叢書」的出版意義，正是經由輕鬆自在的閱讀，使讀者沐浴於前人累積智慧中；藉著所呈現出他們在音樂上可敬表現，既可彰顯前輩們奮鬥的史實，亦可為台灣音樂文化的傳承工作，留下可資參考的史料。

　　而傳記中的主角，正以親切的言談，傳遞其生命中的寶貴經驗，給予青年學子殷切叮嚀與鼓勵。回顧台灣資深音樂工作者的生命歷程，讀者們可重回二十世紀台灣歷史的滄桑中，無論是辛酸、坎坷，或是歡樂、希望，耳畔的音樂中所散放的，是從鄉土中孕育的傳統與創新，那也是我們寄望青年朋友們，來年可接下

傳承的棒子，繼續連綿不絕的推動美麗的台灣樂章。

　　這是「台灣資深音樂工作者系列保存計畫」跨出的第一步，共遴選二十位音樂家，將其故事結集出版，往後還會持續推展。在此我要深謝各位資深音樂家或其家人接受訪問，提供珍貴資料；執筆的音樂作家們，辛勤的奔波、採集資料、密集訪談，努力筆耕；主編趙琴博士，以她長期投身台灣樂壇的音樂傳播工作經驗，在與台灣音樂家們的長期接觸後，以敏銳的音樂視野，負責認真的引領著本套專輯的成書完稿；而時報出版公司，正也是一個經驗豐富、品質精良的文化工作團隊，在大家同心協力下，共同致力於台灣音樂資產的維護與保存。「傳古意，創新藝」須有豐富紮實的歷史文化做根基，文建會一系列的出版，正是實踐「文化紮根」的艱鉅工程。尚祈讀者諸君賜正。

行政院文化建設委員會主任委員　陳郁秀

認識台灣音樂家

「民族音樂研究所」是行政院文化建設委員會「國立傳統藝術中心」的派出單位，肩負著各項民族音樂的調查、蒐集、研究、保存及展示、推廣等重責；並籌劃設置國內唯一的「民族音樂資料館」，建構具台灣特色之民族音樂資料庫，以成為台灣民族音樂專業保存及國際文化交流的重鎮。

為重視民族音樂文化資產之保存與推廣，特規劃辦理「台灣資深音樂工作者系列保存計畫」，以彰顯台灣音樂文化特色。在執行方式上，特邀聘學者專家，共同研擬、訂定本計畫之主題與保存對象；更秉持著審慎嚴謹的態度，用感性、活潑、淺近流暢的文字風格來介紹每位資深音樂工作者的生命史、音樂經歷與成就貢獻等，試圖以凸顯其獨到的音樂特色，不僅能讓年輕的讀者認識台灣音樂史上之瑰寶，同時亦能達到紀實保存珍貴民族音樂資產之使命。

對於撰寫「台灣音樂館—資深音樂家叢書」的每位作者，均考慮其對被保存者生平事蹟熟悉的親近度，或合宜者為優先，今邀得海內外一時之選的音樂家及相關學者分別為各資深音樂工作者執筆，易言之，本叢書之題材不僅是台灣音樂史之上選，同時各執筆者更是台灣音樂界之精英。希望藉由每一冊的呈現，能見證台灣民族音樂一路走來之點點滴滴，並為台灣音樂史上的這群貢獻者歌頌，將其辛苦所共同譜出的音符流傳予下一代，甚至散佈到國際間，以證實台灣民族音樂之美。

本計畫承蒙本會陳主任委員郁秀以其專業的觀點與涵養，提供許多寶貴的意見，使得本計畫能更紮實。在此亦要特別感謝資深音樂傳播及民族音樂學者趙琴博士擔任本系列叢書的主編，及各音樂家們的鼎力協助。更感謝時報出版公司所有參與工作者的熱心配合，使本叢書能以精緻面貌呈現在讀者諸君面前。

國立傳統藝術中心主任　柯基良

聆聽台灣的天籟

　　音樂，是人類表達情感的媒介，也是珍貴的藝術結晶。台灣音樂因歷史、政治、文化的變遷與融合，於不同階段展現了獨特的時代風格，人們藉著民俗音樂、創作歌謠等各種形式傳達生活的感觸與情思，使台灣音樂成為反映當時人心民情與社會潮流的重要指標。許多音樂家的事蹟與作品，也在這樣的發展背景下，更蘊含著藉音樂詮釋時代的深刻意義與民族特色，成為歷史的見證與縮影。

　　在資深音樂家逐漸凋零之際，時報出版公司很榮幸能夠參與文建會「國立傳統藝術中心」民族音樂研究所策劃的「台灣音樂館—資深音樂家叢書」編製及出版工作。這一年來，在陳郁秀主委、柯基良主任的督導下，我們和趙琴主編及二十位學有專精的作者密切合作，不斷交換意見，以專訪音樂家本人為優先考量，若所欲保存的音樂家已過世，也一定要採訪到其遺孀、子女、朋友及學生，來補充資料的不足。我們發揮史學家傅斯年所謂「上窮碧落下黃泉，動手動腳找資料」的精神，盡可能蒐集珍貴的影像與文獻史料，在撰文上力求簡潔明暢，編排上講究美觀大方，希望以圖文並茂、可讀性高的精彩內容呈現給讀者。

　　「台灣音樂館—資深音樂家叢書」現階段一共整理了二十位音樂家的故事，他們分別是蕭滋、張錦鴻、江文也、梁在平、陳泗治、黃友棣、蔡繼琨、戴粹倫、張昊、張彩湘、呂泉生、郭芝苑、鄧昌國、史惟亮、呂炳川、許常惠、李淑德、申學庸、蕭泰然、李泰祥。這些音樂家有一半皆已作古，有不少人旅居國外，也有的人年事已高，使得保存工作更為困難，即使如此，現在動手做也比往後再做更容易。我們很慶幸能夠及時參與這個計畫，重新整理前輩音樂家的資料，讓人深深覺得這是全民共有的文化記憶，不容抹滅；而除了記錄編纂成書，更重要的是發行推廣，才能夠使這些資深音樂工作者的美妙天籟深入民間，成為所有台灣人民的永恆珍藏。

時報出版公司總編輯
「台灣音樂館—資深音樂家叢書」計畫主持人　林馨琴

台灣音樂見證史

今天的台灣，走過近百年來中國最富足的時期，但是我們可曾記錄下音樂發展上的史實？本套叢書即是從人的角度出發，寫「人」也寫「史」，勾劃出二十世紀台灣的音樂發展。這些重要音樂工作者的生命史中，同時也記錄、保存了台灣音樂走過的篳路藍縷來時路，出版「人」的傳記，亦可使「史」不致淪喪。

這套記錄台灣二十位音樂家生命史的叢書，雖是依據史學宗旨下筆，亦即它的形式與素材，是依據那確定了的音樂家生命樂章──他的成長與趨向的種種歷史過程──而寫，卻不是一本因因相襲的史書，因為閱讀的對象設定在包括青少年在內的一般普羅大眾。這一代的年輕人，雖然在富裕中長大，卻也在亂象中生活，環境使他們少有接觸藝術，多數不曾擁有過一份「精緻」。本叢書以編年史的順序，首先選介資深者，從台灣本土音樂與文史發展的觀點切入，以感性親切的文筆，寫主人翁的生命史、專業成就與音樂觀、性格特質；並加入延伸資料與閱讀情趣的小專欄、豐富生動的圖片、活潑敘事的圖說，透過圖文並茂的版式呈現，同時整理各種音樂紀實資料，希望能吸引住讀者的目光，來取代久被西方佔領的同胞們的心靈空間。

生於西班牙的美國詩人及哲學家桑他亞那（George Santayana）曾經這樣寫過：「凡是歷史，不可能沒主見，因為主見斷定了歷史。」這套叢書的二十位音樂家兼作者們，都在音樂領域中擁有各自的一片天，現將叢書主人翁的傳記舊史，根據作者的個人觀點加以闡釋；若問這些被保存者過去曾與台灣音樂歷史有什麼關係？在研究「關係」的來龍和去脈的同時，這兒就有作者的主見展現，以他（她）的觀點告訴你台灣音樂文化的基礎及發展、創作的潮流與演奏的表現。

本叢書呈現了二十世紀台灣音樂所走過的路，是一個帶有新程序和新思想、不同於過去的新天地，這門可加運用卻尚未完全定型的音樂藝術，面向二十一世紀將如何定位？我們對音樂最高境界的追求，是否已踏入成熟期或是還在起步的徬徨中？什麼是我們對世界音樂最有創造性和影響力的貢獻？願讀者諸君能以音樂的耳朵，聆聽台灣音樂人物傳記；也用音樂的眼睛，觀察並體悟音樂歷史。閱畢全書，希望音樂工作者與有心人能共同思考，如何在前人尚未努力過的方向上，繼續拓展！

陳主委一向對台灣音樂深切關懷，從本叢書最初的理念，到出版的執行過程，這位把舵者始終留意並給予最大的支持；而在柯主任主持下，也召開過數不清的會議，務期使本叢書在諸位音樂委員的共同評鑑下，能以更圓滿的面貌呈現。很高興能參與本叢書的主編工作，謝謝諸位音樂家、作家的努力與配合，時報出版工作同仁豐富的專業經驗與執著的能耐。我們有過辛苦的編輯歷程，當品嚐甜果的此刻，有的卻是更多的惶恐，為許多不夠周全處，也為台灣音樂的奮鬥路途尚遠！棒子該是會繼續傳承下去，我們的努力也會持續，深盼讀者諸君的支持、賜正！

「台灣音樂館─資深音樂家叢書」主編　趙琴

【主編簡介】
加州大學洛杉磯校部民族音樂學博士、舊金山加州州立大學音樂史碩士、師大音樂系聲樂學士。現任台大美育系列講座主講人、北師院兼任副教授、中華民國民族音樂學會理事、中國廣播公司「音樂風」製作・主持人。

詩歌與音符交織的人生

　　很少有人像呂泉生一樣，一生都圍繞在歌樂上，工作、生活、思想、興趣，無一不與歌樂有關。把他的生命史攤開，除了少年以前還沒開始學音樂的那段時間，及想當鋼琴家卻不能如願以外，呂泉生的生命，是用詩歌與音符交織出來的。

　　呂泉生的歌樂人生開始於他音樂學校轉主修以後。一九三八年，他在學校和同學扯來扯去的玩遊戲，不小心把手臂拉壞了，鋼琴家當不成，只好轉主修，走上聲樂這條路。一九四○年底，他考進東京著名的東寶日本劇場聲樂隊，在組織完善的東寶演藝會社裡，呂泉生不但透過舞台表演，領略當代歌樂的潮流，好學的他還因此學到製歌作樂的技術。

　　一九四二年，呂泉生回到台灣，在許多音樂家只會唱歌或只會彈琴的情況下，呂泉生全面性的歌樂技術，使他成爲一個能唱歌、能作歌、能帶合唱團，舉凡跟「歌」有關的一切，都能勝任的人，成爲當代文化界裡倍受重視的人才。

　　呂泉生一生中遇過兩位伯樂，給他適才適所的職務，盡情發揮所長，一位是前台灣省教育會理事長游彌堅，一位是前副總統謝東閔。這

兩位前輩都能著眼於呂泉生的長才，重用他而不限制他，讓他在戰後初期的台灣唱歌教育界裡扮演舵手，操控全局。

呂泉生對台灣音樂界的重要貢獻可分以下幾方面：引進並翻譯中文版西方經典歌謠；編製戰後第一批國民學校音樂教科書；領導長達九年的中文歌謠徵曲活動，奠定戰後中文歌謠、尤其是學堂歌謠的基礎；領導並組織合唱團，推動合唱教育；改編與創作中文獨唱、合唱曲，範圍涵蓋藝術與童謠歌曲；規劃並主持實踐家專音樂教育。

容或許呂泉生不曾真正擔任過學校以外行政職務上的領導人，但透過歌曲的制定、創作，教科書的編纂，教育的推行等等途徑，其影響範圍廣及基礎的國民教育、專業的高等教育、以及全面的社會教育。無論從任何角度審視，呂泉生音樂上的觀念與風格，都對戰後初期的人與音樂產生深遠影響，說他是台灣戰後唱歌教育的奠基者，應是實至名歸。

近半世紀來，呂泉生以致力歌曲創作與推動兒童合唱享譽樂壇，他創作的歌謠逾二百首，內容樸實而詞意優美，販夫走卒均能琅琅

上口，極具流傳價值：其中《搖嬰仔歌》、《杯底不可飼金魚》、《阮若打開心內的門窗》等膾炙人口的歌謠，多年來對安定社會民心有無形之貢獻。而他領導三十五年的榮星合唱團，不但是台灣兒童合唱教育的先鋒，盛名遠播國際，榮星的存在更刺激他不斷創作歌曲，與他的創作生命結爲一體，彼此相得益彰。

　　十六歲那年，呂泉生在東京聽到一場音樂會，從此立志要當音樂家，直到今天，用生命擁抱詩與音樂，是他一天都不曾放棄的理想；而以歌逐夢，正是他一生的寫照。

孫芝君

盛夏新鈞月

隨心所欲的旋律

　　以創作膾炙人口的歌謠——《丟丟銅仔》、《杯底不可飼金魚》、《阮若打開心內的門窗》等曲聞名於世的音樂家呂泉生，是台中縣神岡鄉人，他出生於西元一九一六年，是中台灣著名藏書樓——「筱雲山莊」呂氏的後人。呂姓在神岡是大姓，也是望族，他們的祖先選京公呂祥省在清乾隆年間（1771年）時，由福建詔安渡海來台，輾轉到三角仔定居，在此開墾田地。呂泉生記得童年時站在家門口，舉目所及，綠油油的稻田一望無際，全是他們家族宗親的產業。

【三角莊書香大戶】

　　文獻記載說，清道光年間，呂泉生的高曾祖呂世芳時代，家中自有一團梨園，宴客時，梨園子弟便在旁奏樂演出，可見當時呂家已是當地富戶。[1]呂家家勢昌盛後，極重視子弟的教育問題，早期三角仔一地的文教事業，與呂家的淵源相當深厚。呂世芳因喜文弄墨，所以侍奉文昌帝君甚為殷勤，清道光年間就曾率地方仕紳共同設立「梓潼帝君會」，專管文昌帝君祀典事宜，傳到其子呂炳南時，更進一步在岸裡社側建造「文英社」。[2]「文英社」就是「文英書院」的前身，是當地讀書人交遊聚會的場所，設立之後常聘文人大儒在此講學，同時也是

註 1：《台中縣鄉賢傳：呂炳南》。

註 2：吳子光，〈文英書院規條——文英社梓潼帝君會序〉。

呂家子弟受教育的地方，台南進士施士洁、粵東舉人吳子光、彰化舉人陳肇興、烏日貢生楊馨蘭等名仕，都曾在此書院中擔任過教師，[3]對提升中部文風有非常大的貢獻。

文獻記載中的呂炳南（1829-1870），可說是個傳奇人物。文獻形容他：「天資特稟、風貌秀偉」，不到二十歲就補上了弟子員，少年得志，極受地方仕紳的推崇。他個性好客，喜歡結交文友，因此家中經常高朋滿座；而呂家家境富裕，又重飲食，據說不論臨時來多少客人，廚房都能在頃刻間完成數十桌精美的酒筵，因而聲名遠播，因此許多文人雅士來到台中，都十分樂意到呂府停留作客。[4]自呂炳南時代起，「神岡呂家」的聲望便在文人雅士間扶搖直上，為中台灣著名的書香大戶。

呂炳南一生最引人稱頌的功績就是建築「筱雲山莊」，並在山莊內闢建筱雲軒，收藏各種經書典籍。「筱雲山莊」是近代台灣林園建築的代表之一，學者認為它的規劃嚴謹完整，並融合多重風格，是台灣建築中難得一

註3：陳炎正編著，《神岡鄉土志》，台中縣詩學研究會，1982年，頁49。

註4：同註1。

▲ 筱雲山莊門樓。（照片提供：陳炎正先生）

註5：李乾朗，《神岡筱雲山莊》，台北，雄獅圖書，1999年，頁2。

註6：陳炎正、林祚堅主編，《中縣古蹟巡禮》，台中縣立文化中心，1987年，頁3；此一誤揚出於吳子光之手。

註7：粵東大儒吳子光曾是呂家西席（老師），《一肚皮集》收藏不少筱雲山莊的記事。

註8：吳子光，〈筱雲軒記〉，《神岡鄉土志》，陳炎正編著，頁119。

註9：吳子光，〈筱雲軒藏書記〉，《神岡鄉土志》，陳炎正編著，頁121-123。

註10：同註8，頁119-120。

見的佳作。[5]這座山莊原來是呂炳南建造，用以奉養母親張太夫人的場所，在西元一八六六年竣工，裡面亭台樓閣、小橋流水，被時人形容為：「壯麗甲於海東」，[6]不難想像它剛落成時豪華的模樣。

山莊是根據環繞它四周的風景而命名，當時著名的文人吳子光[7]曾為筱雲軒著作了一部《筱雲軒藏書記》，還在筱雲軒門楣上題了一副對聯：「筱環老屋三分水，雲護名山萬卷書」，[8]由此可知，筱雲山莊座落在綠竹與白雲之間，風景詩情畫意，不言而喻。而筱雲軒內收藏呂炳南蒐集來的經史子集各部書冊，多達兩萬餘卷，[9]是公認清代台灣最大的藏書名家。呂炳南的蒐藏不僅吸引許多文壇士人前來閱覽，還孕育出無數士子：苗栗進士丘逢甲、霧峰舉人林文欽、清水舉人蔡時超、鹿港舉人施士洁，以及神岡舉人呂汝修等，都是山莊藏書的受惠者。

描繪筱雲山莊的詩作亦不少，如：

帽影鞭絲客興賒，閒遊不管日西斜，

▲ 呂炳南，清朝同治年間筱雲山莊的修建者，呂泉生該叫他曾伯公。

倚欄曲奏長流水，繞砌風開滿院花。

一肚皮存名士集，三株樹長孝廉家，

樓頭別有藏書富，問字頻來此駐車。

　　　　——陳雪滄·《秋日過筱雲山莊》

人言鄴架染芸香，我到君家興更長。

不是野王經作室，何來典籍滿山房。

　　　　——傅于天·《筱雲軒》

筱雲山莊落成後沒幾年，四十三歲的呂炳南不幸在梧棲外海因船難而過世，結束他戲劇般精采的人生。呂炳南逝世後，他的長子呂汝玉繼承家業，主持山莊事務，推算筱雲山莊最絢爛的歲月，應是呂汝玉當家的前二、三十年。當時呂家文人輩出，呂炳南的四個兒子中，呂汝玉、呂汝修、呂汝成三人都中過秀才，一門三傑，當時稱頌他們是「海東三鳳」。[10]「三鳳」中的呂汝修，又在清光緒十四年（1888年）時考中舉人，將呂家的聲勢帶到頂點。但到日本人來了以

▲ 粵東大儒吳子光曾是呂家西席，《一肚皮集》收藏不少筱雲山莊的記事。

歷史的迴響

《筱雲軒藏書記》，作者吳子光。

節錄文章如下：

「先君子好古有祖風。嘗質田產買書。以供兒輩探討之用。方愧志大才。無以副先澤耳。呂君性風雅。禮賢下士。儒林以為連璧。為八廚。余則以為五總。為九經庫。為三珠樹。其家聚書萬卷。一一編摩而貫串之。余發篋時。亦常滴露研朱。僭書數語其後。載記所謂教學相長。山人將以經史為菟裘而隱焉。此事可為知者道也。卓哉呂君。是真讀書人。是真藏書家矣。」

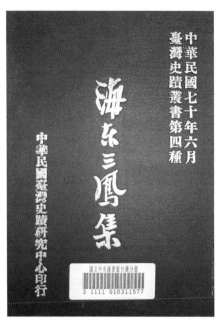 

▲ 《海東三鳳集》為呂汝玉、呂汝修、呂汝成合著。　　▲ 《餐霞子遺稿》是呂汝修的著作。

後，由於環境變化得太快，筱雲山莊繁華的容顏，遂在時光隧道中一點一點褪去了顏色。

【山莊外的童年】

　　呂泉生正好出生在筱雲山莊落成滿半世紀的那年。他的曾祖父呂炳謀與修建筱雲山莊的呂炳南是親兄弟，原本一起住在這間大家口中的「大厝」，但經過數十年光陰，大厝裡面滿滿都是人，早已無處可住，在呂泉生出生的前十幾年，他的祖父呂紹箕一家就搬出大厝，到附近另築屋居住。

　　呂紹箕搬出大厝時分到十甲水田，租給佃農耕作，收取田

註11：大社教會屬英國佈教區，禮拜堂（耶穌聖教會）在1871年11月創立，教徒多為岸裡社居民。1890年英國傳教士盧加閔（Gavin Russell）來大社庄醫療兼傳道；1896年後又有傳教士蘭大衛來此佈教、醫療，吸引許多信徒加入。

租，過著優渥舒適的生活，附近鄰居都叫他「阿箕舍」，年輕點的就叫他「箕舍伯」。五十歲以前，呂紹箕人生最大的嗜好就是吸食鴉片，由於煙癮很大，每週得要配給一次，光是買鴉片的錢就不知道花掉多少。呂泉生的祖母張氏尚，是個個性非常強的女子。大約是在呂泉生四歲的時候，祖母決心帶祖父去「解鴉片」，並改信基督教。呂紹箕的個性溫和，他明白抽鴉片既花錢、又傷身，對自己沒有一點好處，既然妻子決心要為他解除煙癮，他就聽從妻子的話，兩人於是就前往英國傳教士蘭大衛（Dr. David Landsborough, 1870-1957）的「彰化街基督教病院」，接受戒煙治療。一個星期後，張氏尚一人獨自從彰化病院回來，子女都憂心父親在病院戒煙的情形，擔心他煙癮戒不掉，只見剛毅的祖母冷冷回答大家：「戒不掉也要戒得掉。」一個多月後，呂紹箕終於成功戒除煙癮回來，整個人改頭換面，變得很有朝氣，像換了個人似的。張氏尚也實踐戒煙前的承諾，帶呂紹箕一同到大社教會[11]受洗，決心成為虔誠的基督徒。

祖母是經由什麼樣的機緣開始接觸基督教？呂泉生並不清楚，不過一想起祖母決心要信基督教的那一幕，至今仍驚心動魄。一天早上，張氏尚早餐尚未吃完，就放下碗筷急急朝大廳走去，屋子裡瀰漫山雨欲來的氣氛，她的子女、媳婦見狀，都停止用膳，跟在後面，準備瞧個究竟，只見張氏尚把神桌上觀音媽、太子爺等神像取下，連同牌位一起丟進火桶化為灰燼；終於，媳婦們哭泣的哭泣、顫抖的顫抖、念佛號的念佛號，憤

怒的兒子們只能在一旁眼睜睜看著，而無能為力。張氏尚改信基督教的驚人之舉隨即傳到「大厝」親戚耳中，頓時群情嘩然，一時間，咒罵之聲不絕於耳；但張氏尚仍不為所動，她在清理後的大廳供桌上單擺一尊耶穌聖像，接下來的日子，就是到大社教會去做禮拜、學禮儀、學羅馬字、讀《聖經》……，對於親友們的抗議則充耳不聞。

▲ 呂泉生從小居住的宅子，站在門口的這人是他堂兄。當時，呂泉生跟父親一家人住在右側廂房。

　　張氏尚每週至少去教會一次，但他的子女都不表贊同；或許受到父母親的影響，其他孫子都不肯陪她去教會，但只有小呂泉生沒有成見。夏天做禮拜的時候，他頂著艷陽陪祖母走到大社，白花花的陽光把人曬得直發昏，經過路口柑仔店時，祖母就停下來，買一碗白綿綿、冰涼涼、灑上五顏六色香料的冰花給他消暑；禮拜進行前，祖母會先給他兩分錢，囑他一分拿去奉獻，另一分留在身邊零花。呂泉生當時還不明白自己為什麼要來教會？但覺得教會裡的人都非常和氣，

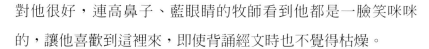

對他很好，連高鼻子、藍眼睛的牧師看到他都是一臉笑咪咪的，讓他喜歡到這裡來，即使背誦經文時也不覺得枯燥。

張氏尚跟呂紹箕夫婦是大社教會裡的第一對漢人信徒。過去三角仔的人都說大社是「番仔」住的地方，而忌諱到大社走動，但自從呂紹箕夫婦的足跡跨進大社後，大家才漸漸知道，經過外國傳教士的開導，大社不像一到下雨天路面就變得泥濘不堪、到處都是家禽糞便的三角仔，而是四處都種植花草，馬路上還鋪著石頭的地方，環境十分清幽美麗。

【生命中的第一首歌】

呂泉生七歲那年進入岸裡公學校就讀。岸裡公學校是三角仔附近唯一的一所學校，一九一七年時才剛設立，為了設這所學校，他的大伯公呂汝玉將「文昌廟址」那塊一甲六分的土地捐出來，學校才有建校的基地。在學校裡，和藹的台灣籍女老師教他們「アイウエオ」的日文片假名，到二年級放暑假前，呂泉生已可用簡單的日文寫信給他最敬愛的姑姑了。

呂泉生唯一的姑姑單名一個「雨」字（1905-198?），是呂紹箕家中第一位讀公學校、又考上彰化高女的高材生，她四位年長的哥哥：如苞、傳苳、維新、遠亭，過去都來不及到公學校裡受教育、學日文，只有年幼的她還來得及趕上岸裡公學校第一屆招生，接受新學。對這名表現優異的小女兒，呂紹箕特別鍾愛；一九二六年，呂氏雨從彰化高女畢業，在媒人說合下，嫁給霧峰林澄堂公的長公子林垂明。霧峰林家門第之高，

眾所皆知，林垂明又是留日大學生，爲了這椿門當戶對的親事，呂紹箕賣了不下兩甲的水田，才打點完禮數，風風光光把女兒嫁出去。但看在呂泉生眼中，祖父名下的財產，光爲這四子一女的婚嫁就消磨得所剩無幾了。

呂泉生出生的年代比他父親呂如苞幸運很多。呂家過去文人輩出，子弟只要年紀稍長，就被送到文英書院隨先生讀書、作詩文，呂汝玉的長子呂厚菴、呂蘊白都還是當代有名的詩人，但這項詩書傳家的傳統卻到日本領台時嘎然中止。呂泉生記得族中長輩曾告訴他，日本領台初年，來神岡調查丘逢甲私藏官銀傳聞的台灣總督曾當面告訴呂汝玉：「日本就要統治台灣了，未來呂家子弟最好都能送到日本就學⋯⋯」，[12]因此呂汝玉尚在學齡中的幼子：季園、柏齡，沒多久就都送到日本讀書了。日本人來了以後，文英書院的活動就停了、廢了，筱雲軒也逐漸破敗，藏書不斷佚失。

成長於地方教育空窗期的父親、叔叔們，在該讀書的年紀無法接受新式教育，可是舊學問也沒學到，可說是改朝換代下的犧牲品。呂泉生小時候常見日本警察來家裡走動，找呂紹箕問話，可是祖父不會說日文，只能派呂泉生去找爸爸來，呂如苞雖沒受過日語教育，但沒事時常找地方上的日本官吏聊天，說幾句日文還是可以的。

呂泉生記得讀了公學校以後，大伯公呂汝玉每年夏天都會在大厝裡舉行「茶話會」，號召族中青年學子共同參加，由呂汝玉親自主持。茶話會就是聯誼會，通常先由主辦人致詞，宣

註12：呂泉生記得筱雲山莊門口有一純正日式風格的迎賓樓，原是專為迎接調查丘逢甲私藏官銀一案而來的台灣總督所建造。據說，日本時代第一、二、三任台灣總督：樺山資紀、桂太郎、乃木希典，皆曾爲此案來過筱雲山莊。

達開會目的，然後大家輪流上台表演，想唱歌也行，想說故事也可以，有時會請族裡留日的青年發表演說。有一次大伯公點到呂泉生，他就上台大聲唱：「チチババチババ……」，歌唱完，台下的觀眾拍拍手，大伯公給他幾枝鉛筆做獎勵。

在公學校六年裡，呂泉生印象最深的一事是畢業前，全班商量推派遊藝會的演出代表。在岸裡公學校，遊藝會是只專為畢業班同學舉行的才藝發表會，因此大家都很慎重。同學知道呂泉生每星期天都去教會做禮拜、唱聖詩，因此公推他表演唱歌；他們班的導師伊志嶺先生下課後親切地問他：「想唱哪首歌？」呂泉生想起小時候姑姑教他唱的一首歌，但他不知道歌名，只好把歌直接唱給老師聽，這首歌就是當時相當盛行的《大國民》：[13]

　　新高山は高かけれど　　國の御威稜はなほ高し。

　　淡水溪は深かけれど　　父母の御恩はなほ深し。

　　（新高山雖高　　國家崇高的威嚴比它更高。

　　　淡水溪雖深　　父母養育的恩澤比它更深。）

沒想到伊志嶺先生一聽完，馬上大聲叫好，要他遊藝會當天上台演唱這首。遊藝會演出時，校長森本茂與學級主任、各班老師都坐在台下，當呂泉生表演時，他一開口，大家竟都跟著歌曲的節奏開始鼓掌，第一遍唱完，台下的掌聲仍未停歇，結果呂泉生越唱越用力，直唱到全校情緒沸騰、大家雙手鼓到通紅才停了下來。

呂泉生描述當時的情形：

註13：歌名為《大國民》，是日本時代相當盛行的歌曲，由民政長官後藤新平作詞、頒佈，後來模仿《大國民》文字體裁的作品非常多，詞曲皆有多種版本。

▲ 呂泉生（二排左一）從岸裡公學校松組畢業了（1929年）。前排左起：校長森本茂、導師伊志嶺朝堅。

　　……當我唱完時，那位來自琉球、留有短鬍鬚的伊志嶺老師好高興地抱著我叫一聲「非常によるしい」，並在我的臉頰上親了一下，可是臉頰被鬍鬚刺的感覺，卻使我做了好幾次驚駭的惡夢。……

　　輪到我上台表演，級主任大聲地鼓掌，隨著他的掌聲，其他老師和同學們也跟著鼓起掌來。我開了嗓子唱出第一句，可是有點不起勁，因此第二句就用了全身的力量大聲地唱，再反覆一次時，第一句還是不夠勁力，第二句音程較高，我費了九牛二虎之力，把第二句高喊出來，結果老師們大大地為我鼓掌叫好，讓我嚇了一跳，不知如何是好。[14]

　　遊藝會舉行後的第二天，岸裡公學校舉行畢業典禮，呂泉

註14：呂泉生，〈一生當中的第一首歌〉，《自立早報》，1991年6月10日。

生獲頒畢業生前五名優秀賞狀，最疼他的祖母與母親知道這消息，都高興得直抱他親吻。公學校畢業後，呂泉生在父親友人田口福松的陪伴下，到台中一中參加入學考試。田口是呂如苞請來專為呂泉生復習功課的家庭教師，經過一年的準備，呂泉生果然不負眾望，考取台中一中這所眾人艷羨的學校！呂如苞有子如此，在重視子女教育的呂氏家族中，著實為他掙足顏面，高興得準備一只象牙印章、一隻手錶，做為呂泉生金榜題名的賀禮。

▲ 呂泉生（右一）十三歲，剛考入台中一中。中間是他的父親呂如苞，左邊是哥哥炎生，他手上扶的小堂弟叫呂時平。

【立志做音樂家】

　　呂如苞原本希望呂泉生能習醫。他聽說，他們族裡幾名在台中一中讀書的青年，未來第一志願都是習醫，因此他也希望呂泉生能以醫科為目標，將來當一名人人羨慕的名醫。呂泉生就讀台中一中以後，成為三角仔一地眾所矚目的青年，走到哪都有人指指點點，讓他很不習慣。此時身份的變化，加上家庭環境逐日改變——姊姊櫻桃出嫁了，哥哥炎生輟學離家去工作，分家後叔叔們帶著妻小各自搬出宅子，原本熱鬧的大家庭沒兩年就變得冷冷清清……，在在衝擊他原本寧靜溫暖的生活。他原是個受人珍愛的小男孩，樂於享受家人的寵愛，但唸了中學校以後，卻被迫開始學習男人應有的生活習慣，這時候，青少年期的煩惱也悄悄找上他，讓他整顆心異常煩躁，靜不下心來。

　　呂泉生也曾經探索過自己適不適合習醫？不過翻開書本，他就是沒心情讀艱澀的數學、理化，怎麼跟人競爭激烈的醫科考試呢？更何況他對拿手術刀的工作一點興趣也沒有。有一陣子，他沉迷於閱讀小說，尾崎紅葉（1867-1903）的《金色夜叉》、夏目漱石（1867-1916）的《坊ちん》、《三四郎》………，都讓他十分著迷，平日挑燈夜戰讀小說到三更半夜，每每到不可自拔的程度還不肯鬆手。星期天祖母約他去教會做禮拜，他也藉故溫習功課不去了，背地裡卻和朋友跑到附近的溪邊游泳、抓魚，或躲在房間裡和來訪的同學高談闊論，最精采的話題莫過於批評學校的校長、老師。玩樂的世界對他而言，

著實充滿了誘惑。

這樣的日子過了三年，到三年級第三學期結束前，[15]學校照慣例爲三年級學生舉行爲期三週的「修業旅行」，帶大家到內地（當時人對日本國內領土的稱呼）參觀，開開眼界。由於旅行的費用不在少數，不是所有家庭都負擔得起，爲了讓呂泉生能順利參加，呂如苞從他考上台中一中起，就在家中空地種植柑林，到旅行前正好採收完畢，以其所得支付剩餘的旅費。這原本是趟愉快的旅行，所有學生都是第一次坐船，沿途充滿新鮮感，沒想到到了東京，旅居東京的親戚帶他去日比谷公會堂聽一場音樂會，竟成爲呂泉生一生命運的轉捩點。那場音樂會中，他聽過哪些曲目已經記不很清楚了，只知道演奏的是管絃樂。這是他第一次聽管絃樂演出，絃管齊鳴、萬音齊發，眞是美妙到了極點；在往後的旅程中，呂泉生整個腦海裡充斥的都是當夜聽見的樂音，縈迴耳際，裊裊不散。

關於那段美妙的第一次接觸，呂泉生說來仍是感動萬分：

……台中一中三年級肄業，在春假中學校帶我們三年級生去日本做三個星期的修業旅行，在東京住宿三夜，晚上可自由外出，我的遠房堂兄是大學學生，來帶我外出，去聽音樂會。音樂會的名詞在報紙雜誌看過許多次，但現場的音樂會未曾聽過，尤其是管絃樂團的演奏更沒看過。五十多人拉的吹的，連樂器那麼多種都沒有看過。聽它能表達優美，快樂雄壯，悲哀嚴肅等的演奏，使我非常感激音樂偉大的藝術性。[16]

回台灣後，呂泉生已立定志向，這一生，他非要成爲音樂

註15：依日本時代的學年曆，一學年有三個學期。學期開始的月份是4月，第一學期是4至8月，其中7、8兩個月是暑假，第二學期從9至12月，第三學期爲翌年的1至3月，如此循環。

註16：呂泉生，〈祝在台灣教我音樂陳信貞老師米壽大慶〉。

▲ 呂泉生（坐排右二）參加學校修業旅行，到日本觀光，這次的旅行對呂泉生影響深遠，立志一生要當音樂家（1932年春假）。

家不可！

　　在偶然的機緣裡，他從同學許雲霞處購得了一把小提琴，開始無師自通的小提琴學習生涯。整個四年級的暑假，他像發了瘋似地學拉小提琴，雖然後來曾短暫隨中台灣的音樂名師磯江清[17]學了幾個月，但磯江老師的主修是鋼琴，對小提琴沒有太深入的研究，學一學，兩人就不歡而散了。暑假過完，第二學期開學，呂泉生整天心裡想的都是當音樂家，只要一得空就拎著小提琴，到學校附近的水源地工寮練習，即使翹課也在所

不惜，非拉到夕陽西下才騎鐵
馬回家。因為他已決心要當音
樂家，無論前途充滿多少橫
逆，都要達成願望。

　　紙包不住火，呂泉生犧牲
課業，瘋狂拉琴的行徑終於被
父親察覺，引爆一場家庭風
波。呂如苞剛聽到呂泉生說要
當音樂家時，怒不可遏，他雖
然是「阿舍」之子，一生沒在
外面討賺過，但失學的痛苦、
沒有成就感的人生，讓他一方
面酗酒，用酒精麻醉自己；一

▲ 台中一中四年級的呂泉生，一心想
　當音樂家。

方面又將未來所有希望都寄託在這個資質聰慧的幼子身上——
因為大哥炎生實在不是讀書的料。父親以不屑的口吻對他說：
「第一衰，剃頭歕鼓吹」，蔑視學音樂的人，他的口吻深深扎痛
呂泉生的心。呂如苞知道呂泉生在台中一中的課業成績一直
不是很好，上四年級後更是一落千丈，他已不敢奢望呂泉生未來
非當醫生不可，但他如學法、商，做父親的一樣能接受，只要
不是音樂就好。可是呂泉生的立場——除了音樂，他什麼都不
要。

　　這年冬天，呂泉生在得不到父親的認同下，內心陷入掙扎
中。新年期間，他腦海中興起一個決然而淒美的念頭——離家

出走，像《三四郎》[18]裡的主人翁一樣，到東京去，迎接新生活！他幻想自己在東京半工半讀，靠自己的力量完成音樂學校教育，最後成爲眾人仰望的音樂家……。口袋裡放著一張從報紙上剪下來的招聘廣告，呂泉生把祖母給他的零用錢全都拿出來，收拾行李不告而別，剛好教會裡有朋友要去高雄找姊姊，呂泉生就和他一起搭車南下，準備應徵船務公司工作。

　　沒想到到了高雄，朋友的姊夫是個幹練機敏的商人，知道他離家出走的原因後，一面熱忱招待他食宿，延宕他出外應徵的時間；一面不動聲色寫信通知他三角仔的父親前來。一天，呂泉生在店裡幫忙時，聽見身後響起父親熟悉的聲音，原來呂如苞接到通知，星夜搭車趕來

註18：《三四郎》，日本文豪夏目漱石（1867-1916）於1908年發表的文明批判小說。主角是自熊本高等學校畢業後，到東京讀大學的「三四郎」；全文即藉由三四郎如白紙般純潔的眼睛，勾勒在現代文明開化下都市人灰暗的精神生活，是一部從外側社會角度向人內部精神剖析的批評小說。

註19：「先生」是當時人對老師的敬稱，中國人早年稱老師為先生，日文用せんせい，亦同。

▲ 呂泉生（中坐者）剛從高雄離家出走回來，與好友們攝於錦波寫真館，右一、右二都是與他同病相憐的留級生（1933年1月）。

高雄，向對方千道謝、萬道謝，才帶呂泉生踏上歸途。呂泉生本以為鬧出這麼大的事情，回家以後父親定會重重責罰他，沒想到呂如苞一路上一語不發，到家後，只簡單對他說了句：「回學校繼續讀書」，就算結束這場鬧劇。

離家出走又回來的呂泉生像遭到一記當頭棒喝，從小提琴家的大夢中醒來，整個人都冷靜下來。第三學期開始，他再也不拉小提琴，不過奇怪的是，當他重新拿起書本時，那些原本看起來像天書一樣的內容，突然都變得不再那麼難以理解。但到學期結束前，他還是因為第一、二學期累積的曠課時數太多，遭到留級的處分。

【敲開音樂大門】

一九三三年，台中一中的呂泉生又重讀了一次四年級。這年，他聽人說，如果想當音樂家，最好會彈鋼琴，因為學鋼琴最普遍，實用性也最高。但台中一中的音樂老師極少，如果不想跟磯江清老師上課，似乎沒聽說還有誰在教鋼琴了。有天放學後，呂泉生經過台中柳川邊，無意中抬頭一看，發現萬水洋服店的二樓窗口掛出一面招牌，上頭寫著「台中婦女鋼琴研究會」幾個字，讓呂泉生頓時喜出望外。他跑到萬水洋服店向老闆娘打聽，才知道樓上是陳信貞先生[19]的私人鋼琴教室，好心的老闆娘還向他介紹，陳信貞先生（1910-1999）畢業於淡水女學校，是德姑娘（Miss Isabel Taylor, 1909-1992）最得意的鋼琴學生……。

時代的共鳴

一九三二年，陳信貞女士到了台中，拜訪楊肇嘉氏、郭頂順氏，又到彰化找蘇振輝醫師、體仁醫院陳醫生娘、霧峰林獻堂氏、大甲何永氏、彭清靠醫師娘（彭明敏氏的母親，也是淡水女學的學姐）、嘉義林淇昌醫生等人士，請他們召集鋼琴學生。在台中承蒙楊氏、郭氏、黃朝清醫師（高玉樹的岳父）、楊基先氏、鄧周憫氏、賴高安肇女士的鼎力幫助，終於在公園路萬水洋服店二樓開設「台中婦女鋼琴研究會」。這些名人的夫人或小姐們都為了贊助陳信貞的收入，統統報名當學生。

參考資料：
詹懷德，《鋼琴有愛——母親的肖像》。

呂泉生心想，姊姊櫻桃正是淡水女學校畢業，或許和陳信貞先生認識也說不定；果不其然，一問之下，姊姊不只和陳先生認識，兩人還是好朋友呢！於是呂泉生託姊姊寫一封介紹信，表示自己想和陳先生學琴，希望她能答應。又隔一週，呂泉生親自到研究會，婉約溫柔的信貞先生見到他，問他學琴的目的？因為她這間研究會只收婦女學生，不收男生，但看在呂泉生還是個大男孩的份上，又是同學的弟弟，才破例收他。

　　呂泉生星期六下午上完武道課後，略事休息一下，四點整趕到柳川萬水洋服店樓上和信貞先生上課。武道課他選修的是劍道，每次打完劍道後雙手都僵硬腫脹，還不包括使勁擊劍後渾身佈滿的汗臭味，當他到了研究會，坐在信貞先生身邊，不時聞到信貞先生身上衣物特有的清香味，心情變得寧靜舒坦。信貞先生給他一本《拜爾教則本》（バイエル），耐心從最基礎的知識開始教起，一點一滴，替他打下基礎。因為呂泉生家裡沒有鋼琴，所以每次上課，信貞先生除了教授新曲外，還要讓他復習舊曲，每次呂泉生復習舊曲的時候，信貞先生就在旁打拍子，不時催促他：

▲ 陳信貞女士是呂泉生的鋼琴啓蒙恩師（1997年）。

▲ 台中一中畢業紀念冊上的呂泉生（1935年）。

「快一點、再彈快一點……。」

陳信貞先生的愛心與耐心，呂泉生感懷甚深：

老師叫我坐在鋼琴椅子上，要我雙手放在鍵盤上，姿勢要怎麼樣，肩頭該怎麼樣，雙掌和指頭要怎麼樣放在鍵盤上，一一矯正我的手掌和指頭，最後要我把每樣指頭怎麼樣拿起來打下去觸鍵。這些動作不管彈什麼練習曲都要保持姿態和動作來彈琴，當時我十八歲粗莽的青年，手笨指頭僵化，對音樂只是憧憬與幻想……。最近我常回憶那時候。假使不是陳信貞老師，別的二十五六歲的女老師教我的話，如果不是老師放棄我，就是我自己放棄彈鋼琴。[20]

呂泉生和信貞先生學了一年多的琴，雖然信貞先生因故經常遷移教室，上課時間也不穩定；但這時候呂泉生心情已很輕鬆，也很篤定，因為他已決心無論如何，畢業後都要到日本投考音樂學校，將來當一名鋼琴家。

註20：呂泉生，〈祝在台灣教我音樂陳信貞老師米壽大慶〉。

時代的共鳴

陳信貞（1910-1999），出生於台北艋舺基督教家庭。一九二二年入淡水女學校讀書，在校期間由蕭美玉女士啟蒙學琴，又隨吳威廉牧師娘學習聲樂。二十一歲那年（1931年），她與年輕的傳道師詹德建結婚，沒想到半年後夫婿因傷寒撒手人寰，她靠宗教與音樂的安慰，獨力將遺腹女撫養長大。曾先後服務於淡水女學校、長榮女中、台中女中，課外從事鋼琴教育長達五十四年，啟蒙過無數鋼琴學子，是二十世紀中葉台灣重要的鋼琴教育者。

夢與理想的追求

　　一九三五年三月，呂泉生終於從台中一中畢業，他興奮地收拾行囊，準備前往東京。呂如苞對呂泉生要當音樂家，心中已有準備，但還是掩不住失望與難堪，他開出條件：如果呂泉生堅持非學音樂不可，在東京的生活費每月只供給三十圓。三十圓的數額，說多不多，說少不少，可以是一個尋常台灣家庭全月的收入，但在物價昂貴的東京，這些錢僅能維持一個留學生出門在外的基本開銷，包括吃、住，以及少許的零花，再沒多餘的錢可以享樂，算是呂如苞對兒子一點小小的懲罰吧！不過算一算，呂如苞的負擔也不輕，每學期開學他還得替兒子繳交五、六十圓的註冊費，一年有三個學期……。如果呂如苞鐵著心腸不點頭，呂泉生想如「三四郎」一樣在東京追求理想，的確很困難。

【振翅高飛】

　　三月中畢業典禮才剛舉行，三月底呂泉生就迫不及待出現在東京街頭，因為音樂學校四月初就要舉行招生考試了，他非得及早趕來報名不可。翻遍各音樂學校招生簡章，最後他決定報考「東洋」──這不是他能決定的，因為東京（上野）、武藏野……這些學校都沒有專為程度淺的學生設置的「預科」，

呂泉生連《拜爾》都沒彈完，直接參加本科的入學考試太勉強，只能報考這所唯一設有預科的學校。主修樂器呂泉生填為「鋼琴」，立志將來成為鋼琴家，經過簡單的視唱、鋼琴測試後，順利成為東洋音樂學校預科生。

在預科，只要表現得好，一年後程度能達到要求，就可升入本科就讀，如無意外，三年後可畢業取得專門學校文憑。在東洋，他分配到的鋼琴主修老師是井上定吉，井上先生是東洋音樂學校畢業的「先輩」，因為鋼琴表現優異，所以畢業後被

▲ 呂泉生（後右）、陳暖玉（後左）、戴阿麟（前右）、蔡舉旺（前左）四人，是當時東洋音樂學校裡僅有的台灣人學生（1936年）。

▲ 呂泉生（中）剛來東京唸書時，到車站接他的就是好友梁萬星（左）。

▲ 東洋音樂學校新生入學紀念照，右上角戴帽者為呂泉生。

▲ 井上定吉（中坐者）與他的鋼琴學生，其正後方為呂泉生。

學校聘為教席，是個三十多歲、個性溫和的男老師。上第一堂主修課，呂泉生因彈《拜爾》第一百曲，而遭到坐在教室後面的女學生訕笑；但井上老師卻說：「基礎不錯，只是欠練習」，讓呂泉生頓時信心倍增。為此，呂泉生極感謝他在台灣的鋼琴老師陳信貞，為他打下好基礎，才有當日的成果。

井上先生對呂泉生極為關心，經常主動加課，下課後如還有時間，就帶他到外面吃飯、喝酒，師生間情誼深厚。呂泉生在井上的指導下，奮發努力，終於在一年後，以貝多芬（L. v. Beethoven, 1770-1827）《G大調第二十號鋼琴奏鳴曲》（Op.49, No.20）通過考試，正式成為「本科」的學生。

【意外的轉折】

為了專心練琴，預科第一年暑假回台灣，呂泉生向疼愛他的母親傾訴在東京無琴可練的痛苦，以及到學校排隊租、練琴的不便。他的母親林氏錦，是豐原郡大埔厝人，一個溫順賢良的家庭主婦，非常鍾愛這兒子。林氏錦默默考慮好幾天，在呂泉生啟程返回東京前，拿出她自己的私房積蓄，加上典當掉陪嫁時的首飾，湊足五百圓現金給呂泉生，讓他回東京買琴；呂泉生收下母親的厚恩，當場痛哭失聲。

一回到東京，他馬上花四百圓買一台「山葉」二手一號琴，每天苦練四小時。本科第二年的最後一個學期，有天，他在學校裡和同學玩拉手的遊戲，正在用力拉扯時，呂泉生忽聽見「喀喇」一聲，手臂就不能動彈了；因為不痛，所以當時也

時代的共鳴

「東洋音樂學校」是日本音樂界耆老鈴木米次郎（1868-1940）於一九〇七年創辦的學校，在日本眾多私立音樂學校中，歷史甚為悠久，僅次於一九〇三年山田源一郎（1870-1927）創設的女子音樂學校（一九二七年更名為日本音樂學校）、一九〇五年天谷秀的東京音樂院（一九一九年廢校）與松山鑑子的女子音樂團（後改稱東京女子音樂學校）。戰前不少NHK樂團裡的提琴手都出身自這所學校，讓校方引以為傲。該校在二次世界大戰期間受戰火波及，校務停頓數年，一九五四年浴火重生，以短期大學型態重新面世，一九六三年改制為四年音樂大學，一九七三年更名為東京音樂大學。

▲ 最疼呂泉生的母親——林氏錦。

▲ 音樂學校時代的呂泉生，心中有鋼琴家的夢。

不太在意，但接下來幾天練琴時，他發現自己的右手發麻無力，才到學校附近找接骨師看看，不料接骨師一看，直指事態嚴重，把脫臼的臂骨推回去後，告誡未來恐將留下難以治癒的後遺症。呂泉生為了保住自己的手——鋼琴家最珍貴的武器，只好到大醫院掛診，西醫一看，便斷言這是永久性傷害，連藥也沒開，就囑他回家休養。

呂泉生看著日益酸軟、無法抬舉的右臂，心痛如絞，因為只要一撐開手掌，無名指、小指就隱隱作痛，讓他意識到當鋼琴家的美夢已因無可挽回的傷害而將破碎。他想起自己千辛萬苦來到東京的理由，以及兩、三年來忍

受寂寞、窮困的生活，一切都只為把琴練好，當個優秀鋼琴家，現在卻面對如此不堪的命運；多少夜裡，他從昏沉沉的惡夢中驚醒，便悲從中來，淚濕衣襟。

呂泉生因手臂傷痛無法勉強再練琴，只好如實將情況報告給井上先生知道，井上先生非常同情他的遭遇，勸他轉主修。但從學校的立場來看，整個問題可沒這麼單純，如果他的手不能彈琴了，勢必非改主修不可，但呂泉生已經讀到本科二年級，只差一年就要畢業，這時候改主修，改什麼好？又有哪個

▲ 音樂學校學生在日本青年會館演出歌劇，劇目為古路克（C. W. R. v. Gluck, 1714-1787）的 "Iphigenie Auf Tauris"（1936年4月19日），坐排右一為呂泉生。

老師願意接手指導？井上先生認為呂泉生「唱歌」一科的成績相當不錯，如果轉修聲樂，程度應不會太差，便極力說服學校為呂泉生辦轉主修考試，他本人甚至願在考試中親自為愛徒伴奏。不過，最後幫他伴奏、度過難關的，是班上從小就學鋼琴，琴藝很好、又很可愛的末松美根子同學。聲樂部的主任阿部英雄聽過他的歌聲，認為他的聲音很有潛力，允諾收他為徒，讓無奈的情勢有最好的解決辦法。

考試落幕了，可是這段期間的遭遇，刺激呂泉生深入的思考「音樂家」、「鋼琴家」的定義，他終於認清，自己的未來是要做一個廣義的「音樂家」，而不是狹義的「鋼琴家」。雖然心中猶自不甘願鋼琴家的美夢因傷破滅，夜闌人靜時，他還是不斷地問自己：難道我就沒有資格當鋼琴家嗎？但為了證明自己全方位的音樂抱負，他已下定決心轉移目標，許自己一個聲樂家的未來。

【初試啼聲】

一九三九年春，已經是本科第三年的最後一個學期開始，呂泉生接到父親的家書，通知他畢業後家中將不再供應生活費，要他趕緊回台灣找工作。先前放暑假回台灣時，姑姑呂氏雨也問過他這問題，姑姑認為，回台後如能在中學校找到教職，課後教幾個私人學生，也算是個收入頗豐的職業，像她的女兒從台中師範的磯江清先生學鋼琴，幾年下來，也繳了不少學費。不過呂泉生卻不這麼想，他一心想當音樂界裡的頂尖音

樂家。

　　一九三六年春，他參加在新宿パレス喫茶店舉行的台灣音樂留學生親睦座談會時，見到心儀的作曲家江文也（1910-1983），後來又與江文也在新宿街頭巧遇，兩人到喫茶店裡談了一會兒話，江文也語重心長地勸告他：「如果有心在音樂界裡發展，切記要留在東京，不可回台灣去。」

　　呂泉生認為江文也非常認真用功，文筆好，涉獵範圍廣泛；後來有些老朋友提起江文也被鬥慘了，他慨嘆這位朋友，

▲ 本科三年級暑假回台，受邀參加在台南宮古座舉行之「台南出征將兵遺族慰問演奏會」，表演獨唱（1938年）。左起：黃蕊花、陳暖玉、翁榮茂、廖朝墩（後立）、林進生（坐者）、呂泉生。

註1： 劉美蓮，〈訪呂泉
生教授談江文
也〉，收錄於林衡
哲編，《現代音樂
大師》，前衛出版
社，1988年，頁
303～305。

做人處世不夠圓滑，嘴巴又愛亂講話，不僅得罪人，也種下日
後不懂明哲保身的禍根。呂泉生曾說：「他生錯地方，住錯地
方了。」他認為，江文也穿著考究，頭髮梳得整整齊齊，一副
紳士派頭，不隨便誇獎阿諛別人；而江文也的性格與脾氣，與
白遼士頗為相似，以江文也個性，巴黎比起中國更適合他。[1]

　　呂泉生十分推崇江文也，對於江文也的意見自然相當重
視。呂泉生在東京得見音樂的大千世界，對一切音樂知識求知
若渴，說什麼也不願一畢業就回台灣——因為故鄉貧瘠的環

▲ 蔡培火（前排中）舉辦台灣音樂留學生親睦座談會時，音樂家江文也（前排右
二）、翁榮茂（前排左一）、呂泉生（後排右二）、陳泗治（後排中）、戴逢祈（後
排左二）都參加了聚會（1936年春）。

生命的樂章

.1910-1995.
85TH ANNIVERSARY OF JIANG WENYE'S
BIRTHDAY & SYMPOSIUM
1995. BEIJING

泉生先生留念
汶也遺孀
吳韻真
一九九五文

▲ 江文也是呂泉生當年心中極為仰慕的音樂家，這是北京舉行江文也研討會時，江文也遺孀吳韻真女士題字寄贈呂泉生的議程表（1995年）。

時代的共鳴

江文也（1910-1983），生於台北淡水，十三歲渡日，原本在武藏野高等工業學校學習電氣工程，課餘修習聲樂，後來投身樂壇，拜日本樂壇巨人山田耕筰（1886-1965）為師，學習作曲。一九三四年起，接連獲得日本聲樂與作曲獎項，在樂壇嶄露頭角。一九三六年參加柏林第十一屆奧林匹克運動大會文藝競賽，以管絃樂《台灣舞曲》獲獎，聲名大噪。一九三八年為追尋音樂創作的新泉源前往北京，受聘為師範學院音樂系作曲教授，不幸在一九五七年「反右」、一九六六年「文革」中兩度受盡摧殘，經過十年勞改，癱瘓不起，最後抑鬱以終。一九八○年代，江文也的作品重新受到華人世界的關注，引起研究熱潮，至今不衰。

境，實在不適合正在汲取音樂養份中的他呀！

呂泉生深知老父給他的信並非恫嚇，但只要畢業後家中不再匯錢過來，他的生活將馬上面臨斷炊的命運。呂泉生因此十分憂心，但為了留在東京，不得不求助於最關心他的鋼琴老師井上定吉。畢業前一個月，井上就帶他去找工作，他先帶著呂

泉生到「勝利」（Victor）唱片試音，但「勝利」的人認為，呂泉生的音質不適合唱流行歌，如果唱歌劇（Opera）、音樂劇（Musical）倒是可以，而建議他到日本劇場試試看。在井上先生伴奏下，呂泉生以一曲雷昂卡發洛（R. Leoncavallo, 1857-1919）歌劇《小丑》（Il Pagliacci）中的《序曲》（Prolog）獲得「日劇」青睞，準備在《東洋の一夜》[2]推出時，派他上場。

在《東洋の一夜》中，呂泉生飾演一位中國將軍。首演當天正好是他東洋音樂學校的畢業典禮，但為生計與前途著想，呂泉生只好放棄畢業典禮，一清早就到劇場彩排。過兩天，專門報導藝界消息的刊物《都新聞》刊出一則小小的樂評：「新人歌手呂君演與唱表現都不錯。」[3]讓呂泉生非常高興；但好景不常，十天的表演結束後，呂泉生遲遲沒有接到下一檔戲的演出通知，只好黯然離開劇場，另外找尋其他的工作來謀生。

從四月到六月，呂泉生都只靠抄譜維持生計。許多日本音樂家未成名前，都是靠抄譜維生的，抄譜這工作既無聊，待遇又極微薄，抄一張譜只得兩分錢，呂泉生一天能抄個三、四十張，勉強維持溫飽。不過抄譜對音樂人也不是全然沒有好處，有心者可從中領略作曲技法的奧妙，尤其是配器法（Instrumentation）的應用。貧窮的日子讓呂泉生忍無可忍，不由得想，如果他在東京只能抄譜，倒不如回台灣找工作、教書算了。有天，台中一中的好友許雲鵬來雜司ケ谷找他玩（呂泉生來東京以後一直住在雜司ケ谷），聽呂泉生訴說他目前靠抄譜維生，生活過得異常艱辛；正好許雲鵬的堂兄許雲泉在頭山

秀造手下做事，與松竹演劇會社搭得上線，就介紹呂泉生給堂
兄認識，希望能助他脫離苦海。

【松竹常盤座】

許雲鵬帶呂泉生見過他的堂兄許雲泉，再由許雲泉引薦呂
泉生去見頭山秀造，最後由頭山秀造帶他去見他的父親——日
本赫赫有名的右翼巨頭、也是黑道首腦，人稱「日本地下天皇」
的頭山滿（1855-1944），他也曾資助　國父孫中山推翻滿清政
府，是　國父在日本重要的友人。

頭山滿在中國有許多企業，他問呂泉生想不想去中國發
展？呂泉生回答說，他想留在東京繼續學音樂，頭山滿就交代
秀造，安排他到松竹旗下機構任職。七月起，呂泉生就到淺草
的常盤座擔任歌手，月薪七十圓，比起前幾個月抄譜的待遇實
在好得多了，生活也立即有了改善。當時承租常盤座的，是一
個名叫「笑の王國」劇團，專門上演滑稽的綜藝歌舞劇，團主
名叫關時雄，在日本演藝界裡資格老、關係好。呂泉生在劇團
裡的角色是歌手，舉凡獨唱、歌舞演唱、或短劇串場演唱，導
演怎麼安排，他就怎麼表演。

為了合乎這個劇團的風格，呂泉生還取了一個趣味的藝名
——呂玲朗，這三個字用日本話唸是「ロレロ」，和大調音階
中的「do-re-do」諧音。七月才剛到常盤座，呂泉生就奉松竹
演藝部之命，隨「笑の王國」劇團到朝鮮（韓國）的漢城、釜
山表演，這是他旅日之後第一次出遠門。

日本舊演藝界裡規矩特別多，每次換檔，全團的人就要去根岸料亭行禮、答謝，酒一杯杯喝下去，不到三更半夜回不了家。這樣的生活剛開始時很新鮮，但日子一久就不對勁了，呂泉生警覺到，如果繼續待下去，他的音樂前途就將在杯觥交錯中，像酒精一樣，一點一滴地揮發掉；而且這幾個月來，他覺得自己音樂上的修養一點進步都沒有。後來松竹為遞補一個長期

▲ 恩師井上定吉對呂泉生的關懷，如父如兄；受到井上的影響，呂泉生對他的學生，也是盡心相待。

請假男歌手的缺，要呂泉生暫離常盤座，去金龍座表演，讓呂泉生心中興起藝術家「是可忍、孰不可忍」的憤慨。

原來金龍館在大正年間「淺草オペラ」（淺草歌劇）時代，曾盛極一時，歌劇沒落後，裡面就漸漸改唱起世俗的流行歌曲；呂泉生是科班出身的歌手，要到金龍館唱流行歌，不啻是要他降級演出！就在這徬徨的當口，恩師井上定吉來淺草探望他，呂泉生將滿腹委屈說給井上聽，在井上的鼓勵下，年底合約到期時，毅然向松竹提出辭呈，離開淺草。

【重回日本劇場】

　　一九三九年底，呂泉生已盤算好要另謀新職，他從報上得知，日本爲慶祝建國兩千六百年，特舉辦奧林匹克運動大會，並將組一支三百人的大合唱團於會中演唱，他聞訊便趕往報名，並從一千兩百名應徵者中脫穎而出，獲得錄取。但奧林匹克合唱團練習沒兩次，就碰上日本在徐州會戰吃了敗戰，舉國上下氣氛低沉，運動會也無心再辦，合唱團只好解散。後來NHK廣播電台接手這支合唱團，重新篩選，將規模縮減成一百二十人，再依程度分成ABCDEF六組，呂泉生被分在程度最好、即席演唱能力最強的F組，接獲通告的次數也就比其他組更多。

　　平常沒有通告的時候，呂泉生就在家讀書、做自己的事，一旦接到電報通告，就必須在指定時間三十分鐘前到電台完成報到手續，馬上拿譜，馬上練習，接著就廣播了。這樣上一次通告的酬勞是五圓，外加電台補助每人每月車馬費二十五圓，呂泉生每月平均能從NHK獲得七、八十圓的酬勞，比起剛踏入社會的東京帝大畢業生平均月薪約只有五十圓，職業歌手的待遇確實不錯。

　　一九四○年底，呂泉生在報上看到日本劇場招募聲樂隊的消息，日本劇場簡稱「日劇」，是個專演歌劇、歌舞劇的高級藝術表演場所；呂泉生過去曾在該劇場演出過《馬可波羅在東洋的一夜》，如果有機會，他正希望能重返那座舞台。他去日本劇場應考，才一腳踏進辦公室，就被眼尖的職員發覺，問他

▲ 呂泉生在台灣音樂留學生舉行之慶祝日本皇紀二千六百年音樂會上表演獨唱，這時的他，已是在京台灣留學生中的大忙人（1940年）。

這陣子跑到哪兒去？是不是想回來唱歌？……，大家寒暄一陣子，就算正式錄取。

「日劇」此番出發，意在推動一種名為「舞台秀」（Stage Show）的新表演形式，企圖結合演劇、歌劇、舞蹈，來表現全東亞各民族的特色。呂泉生在「日劇」度過他人生最美好的一段時光。劇場裡由戲劇名家與法國文學泰斗——秦豐吉（1892-1956）、名製作人白井鐵造（1900-1983）兩人坐鎮，據呂泉生回憶：

日劇的總監是法國文學泰斗、鼎鼎有名的秦豐吉（筆名丸木沙士），這位大人身材魁梧，講話聲音非常嘹喨，在舞台排

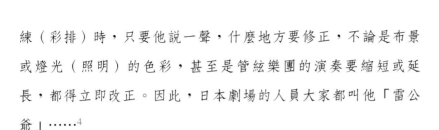

練（彩排）時，只要他說一聲，什麼地方要修正，不論是布景或燈光（照明）的色彩，甚至是管絃樂團的演奏要縮短或延長，都得立即改正。因此，日本劇場的人員大家都叫他「雷公爺」……[4]

「日本劇場」集合全日本最優秀的舞台工作人員、合唱及舞蹈老師，給予團員精實的訓練，而且每一檔的節目都聘由日本第一流的演員擔任主角。從一九四〇到一九四二年，呂泉生在東京過著春風得意的日子，他與這些藝術家們合作，可說是獲益良多，他的音樂知能、音樂觀，主要可說奠基於此一時期、此一劇場。NHK與日劇兩頭兼，呂泉生的工作忙碌、收入豐厚，過著人人艷羨的光鮮生活。不僅學習藝術的心願得償，

▲ 呂泉生（後排右三）在東寶日劇演出日本作曲家山田耕筰（1886-1965）歌劇《黎明》的劇照。

註4： 呂泉生，〈我的音樂生活〉。

還因爲這兩單位的媒體高曝光率，成爲台灣留學生中，人人爭相結交的風雲人物。

【《秋菊》不語】

一九四二年春，呂泉生接到哥哥炎生的來信，提到父親身染重病，而且他自從畢業之後一直沒回家，家人都非常想念他，希望他回家一趟……。呂泉生一來想躲避重子的愛情，一來戰爭已進入緊鑼密鼓階段，東京的民生物資開始採取配給制，以往熱鬧的商街現在天一黑就紛紛把門關起來，一片風聲鶴唳的景象。

重子是呂泉生音樂學校時代認識的朋友──同學有澤君的表妹，也學音樂，比呂泉生大一歲。重子的個性溫柔堅毅，是呂泉生喜愛的那一型，他後來結縭的妻子美完（1916-1997），就與重子有相同的個性。重子像大姊姊一樣地照顧他，兩人間維持著清純的愛情；後來重子因照顧患有氣喘病的母親，在呂泉生暑期返台時搬離東京，陪母親到鄉下養病，兩人遂失去聯絡。但在上天巧妙的安排下，有天，呂泉生聽見房東高橋太太的出租房間裡有人在吹口哨，旋律是他寫的《可愛的仇人》，因而心中納悶：這首曲子並未流傳，怎會有人知曉？一問之下，才知道這人住在北海道，常聽山腳下的人家彈琴，那女子最常彈的，就是這首曲子……。

美妙的機緣讓闊別數年的兩人重逢，重子的父親已經過世，家中又沒有兄弟，因此希望呂泉生入贅她家。呂泉生想起

井上先生喝過酒後，常痛苦地告誡他：「男子有米糠三合[5]，就不要做人贅婿」的話，因為井上先生本人就是贅婿；一思及此，呂泉生心中便百般不肯。而且，他當時的身份是殖民地人，房東高橋太太對呂泉生提出嚴正警告，如果兩人結婚，呂泉生的身份就會變成內地人，恐怕有被徵召上戰場的危險，要他不能不考慮這問題。

出門太久，想家；也因為重子的感情太沉重，呂泉生無法承受，他選擇暫時先回台灣，看看情況的發展再說。四月中，呂泉生回到台灣，但父親的病一直沒

▲ 呂泉生（右一）返台探親，他的父親呂如苞（繫領結者）已重病多時（1942年）。立於後方者是他的哥哥、嫂嫂一家人。

有起色，所以九月中呂泉生又再度回到日本；不過才剛到東京，就接到家人拍來電報說，父親呂如苞已在他回京途中病逝，要他即刻返家處理後事。當時海面上的局勢已相當緊張，日軍六月在中途島（Midway Islands）海戰失利後，戰事節節敗退，回台的船票已很難訂，呂泉生憂心此行之後恐再沒回京的機會，當機立斷，賣掉鋼琴，退掉租屋，結束東京的一切，回到台灣；並向遠方的愛人輕輕說聲：莎喲那啦！

註5：「米糠三合」的意思是指僅夠溫飽的收入。「合」是容積單位，1合約等於5.54公升。

一九四四年六月，呂泉生在台北接到一封從北海道轉寄來、沒具名的信件，打開一看，裡面沒有署名，也沒有問候，只見清秀的字跡抄了一首佐藤春夫的詩——《秋菊》：

さ迷い來れば　　　あき草の　一つ殘りて
咲きにけり　　面影見えて　懷かしく
手折うば若し　花散り

——佐藤春夫（原作）·《秋菊》

秋日漫步到庭前，滿庭芳草萎，
惟汝野菊獨盛開，宛如伊人在。
思摘汝時悲我意，觸我舊情懷，
摘得汝時凋汝蕊，我心復憔悴。

——翁炳榮（譯詞）·《秋菊》

呂泉生把詩譜成曲，寄回原址，盼伊人能諒解。一九四四年，呂泉生與淡水中學蕭安居牧師六女，於台灣神學校任音樂教職的蕭美完（1916-1997）完婚。蕭女士亦曾留學日本青山學院，婚後在家相夫教子，家庭美滿幸福，兩人育有信也（1945～）、惠也（1947～）、玲兒（1956～）三名子女。

▲ 詩人張三聽聞《秋菊》的故事，心有所感，寫下〈秋草吟〉和贈友人。

生命的樂章

▲ 呂泉生與蕭安居牧師的六女美完小姐在台灣神學校舉行結婚典禮
（1944年1月15日）。

深耕樂教的執著

　　呂泉生與廣播電台的結緣甚早，一九四二年他返鄉省親時，就被放送局請來獨唱廣播。一九四四年一月，當時的放送部長富田嘉明用半威脅、半利誘的口吻對呂泉生說：「『戰時中』[1]若無公家職務保障，隨時有可能被徵召為軍伕。」呂泉生不想上戰場，只好乖乖到放送局上班。富田為什麼要爭取呂泉生來放送局？應是著眼於呂泉生能唱歌、能寫曲、能指揮合唱團；如能爭取到呂泉生來任職，對於戰時文藝活動的推動，用處大矣。當時，呂泉生在台北放送局（JFAK）最主要的工作是領導、指揮台北放送合唱團，並為其編寫廣播用合唱歌曲。

【廣播電台演藝股長】

　　一九四五年八月十五日，日本宣佈無條件投降，結束二次世界大戰。同年十月，位在南京的中央廣播事業管理處派員接管台北放送局，更名為「台灣廣播電台」，呂泉生以音樂專長獲聘為播音員兼演藝股長。剛開始時，呂泉生還完全聽不懂國語，和同事溝通常要比手畫腳，經過一段時間的適應後，聽、說都有大幅進步。一九四六年底，正好台灣電力公司困擾於民間盜電行為猖獗，想呼籲民眾合法用電，因此有意向電台購買時段，利用節目休息時間穿插宣導廣告；電台有了這筆經費，

註1：「戰時中」是日本式講法，指戰爭期間。

提撥給演藝股充實節目，呂泉生也因此開始了忙碌的演藝股長生涯。

認真說來，一九四五年中國派來接管廣播電台的要員：林忠、翁炳榮、林柏中，不是工程專家，就是行政專才，可沒有一個有經營電台實務的經驗，因此對新聞以外的節目如何製作，仰仗呂泉生甚深；因為呂泉生是自日本時代起就在電台工作的人員，對電台運作知之甚詳，同事如有不明白處，問問呂泉生就會有答案。

演藝股長呂泉生援照日本時代的章法，分星期一三五、二四六，輪流製播流行歌曲與古典音樂的現場節目，時間各約為半小時。請來表演的音樂家都屬當代藝界的佼佼者，古典音樂家有：張彩湘、林秋錦、高慈美、呂赫若、陳清銀、陳暖玉、李金土、林善德、蔡江霖、柳麗峰、陳信貞……，有時呂泉生也親自披掛上陣，演唱舒伯特藝術歌曲；流行音樂則有請楊三郎（1919-1989）、紀露霞這批演藝人員。但呂泉生以為，日本人走了，再唱日本的流行歌曲並不恰當，遂鼓勵他們以台灣人的生活為題，創作台灣流行歌，楊三郎一九四

▼ 前往台灣廣播電台上班途中的呂泉生。

七年揚名歌壇的處女作——《望你早歸》，就是呂泉生鼓勵下的作品。

星期天晚上則是張邱東松（1903-1959）領導的「南國音樂歌謠研究會」表演時間。張邱東松日本時代就是電台裡的常客，「南國」其實是支家族樂團，專門演奏張邱東松作詞作曲的歌謠。張邱剛開始寫台灣歌時還摸不準方向，總自社會悲情戀愛事件取材，歌詞淒風苦雨的，呂泉生聽了很難過，有天對張邱說：「你為什麼老寫戀愛結果不成功的歌？寫些詞意正面的過來嘛！」張邱於是轉從小市民生活取材，創作出《燒肉粽》、《收酒矸》等歌謠，極受社會大眾喜愛。

呂泉生還策劃製作富含各省特色的節目，從平劇、粵曲，到本省民眾喜愛的歌仔戲、布袋戲、講古……，統統請來電台表演，還有過去協助他解釋《丟丟銅仔》意義[2]的民謠大家汪思明，也被聘來演唱台灣民謠。呂泉生把演藝節目經營得如同往昔一樣，熱鬧非凡。

不過大環境的變化詭譎，一九四七年的「二二八事件」加深本省人與外省人的對立；接下來的國共內戰，讓地處海疆的台灣，同樣陷入動盪不安之中。二二八事件發生時，激憤的群眾為向全台告知此事，包圍並佔領電台，連帶要求台長林忠撤換電台內所有外省籍主管，改以台灣人擔任。混亂中，呂泉生聽說自己的職務調升為人事主任，深知飛來的官位是禍不是福，堅持自己不諳人事行政業務，堅拒出任新職。

月餘之後暴動逐漸平息，政府也開始追究責任，證明呂泉

註2：《丟丟銅仔》是日本領台時期出現在宜蘭鐵道附近的民謠，「丟銅仔」原本是種賭博的工具。

生當初的判斷是正確的。那些在混亂中接受新職的台籍主管一一被捕下獄，三個月後始被釋放，並被迫寫下辭職書後離開電台。這件事給呂泉生很大的警惕，國共內戰期間，電台裡謠言紛飛、諜影幢幢，他仍堅守職位，謹言慎行，憑著高度的警覺心，終能逢凶化吉、轉危為安。

　　不過到一九四九年底，呂泉生終於按捺不住情勢，自動離職。這年十一月，電台原隸屬的中央廣播事業管理處（CBA）為因應大陸淪陷的實際情勢，遷台改組為中國廣播公司（BCC），呂泉生的職稱也隨之調整為音樂組長。新上任的總經理開會報告未來經營方針時，指出公司未來最重要的工作，就是為政府做宣傳，並為節省經費，將取消製作文藝性節目，改播唱片，及規定組長級以上主管必須統統入黨……。呂泉生是實事求是、不圖虛位的人，他思忖道：若公司取消製作文藝性節目，改播唱片，他不是天天來放唱片就好，還有什麼事可做？其次，他認為入不入黨是個人的自由，公司不應以行政手段強迫員工加入；因此，他以不懂政治為由，退出電台工作。

【靜修女中藝術班計畫】

　　呂泉生是台灣樂界的聞人，他前腳離開中廣的消息才剛傳出，台北私立天主教靜修女中校長洪奇珍後腳便捧著聘書來找呂泉生，希望邀他到靜修主持藝術班成立事宜。原來洪校長來台後，體會到當時台灣藝術教育人才極度欠缺，見淡水純德女中一年多前成立音樂班，有意仿效其辦法，在靜修女中成立藝

▲ 靜修女中教書時代的家庭成員：中間兩位老人家分別是他的母親林氏錦及丈人蕭牧師，中立的男孩是大兒子信也，呂泉生手上抱的是小兒子惠也，最左邊是妻子美完。

術班，教授包含音樂、美術、洋裁等的女子技藝。原先預計藝術班的修業年限是四年，前三年比照正常高中課程，僅利用週三、週六課餘時間加強學生的藝術訓練，最後一年則全面施以藝能教育，充實學生的專業修養。

呂泉生想想校園環境單純，洪奇珍成立藝術班的立意又遠大良善，就同意接下聘書，主持籌備業務。呂泉生特地從中南部聘來畫家廖繼春、林玉山兩人，做為藝術班未來的美術師資，連教育廳的立案都申請了，只是沒想到隨後發生的大陸來

台流亡潮，打斷靜修女中成立藝術班的計畫。

　　一九五〇年，大陸淪陷，大批難民湧入台灣，一時間，全台屋舍嚴重不足，遂紛紛向學校求借校舍，做為暫時安頓的處所。問題是，這批人在校內吃喝作息，嚴重影響學生上課的情緒，靜修女中也有同樣的困擾，洪校長只好和隔壁的長安國校商量，把靜修的禮堂格成數間教室，安頓長安國校的師生，把不請自來的客人全都集中到長安國校，才暫時解決了問題。可是兩所學校的師生擠在同一校園內，不但人滿為患，彼此上下課的時間又不一樣，弄得大家叫苦連天。

　　因為流亡潮影響校方正常作業，成立藝術班的計畫因此胎死腹中。新學期開始，校方只好安排呂泉生接訓導主任，這種職務壓力大，無關音樂的瑣事處理不完，騎虎難下的呂泉生只好硬著頭皮，當了一年訓導主任。

　　一九五一年暑假，台灣省教育會理事長游彌堅（1897-1971）向呂泉生提出邀請，到教育會編輯音樂教材，呂泉生因此請辭靜修的專任教職，但洪校長還是希望他能來學校幫忙，負責指導學校的音樂，呂泉生才改為每週到校兼任六小時的音樂課。這六個小時課程中，除了每週兩小時指導高一、高二的音樂外，還在「課外活動」時間訓練學校的合唱團與鼓笛隊，每隊各兩小時；聽說光是這樣，靜修月付給呂泉生的兼課費就高達三百多元，比校長個人的月薪還高，相當於大學教授級的鐘點費。

　　呂泉生訓練的鼓笛隊[3]在靜修相當出名，參加的學生人數

註3：「鼓笛隊」是日本時代起推行的學校樂儀隊，在學校儀式、典禮舉行時，以鼓、笛演奏適當樂曲，配合儀式典禮的進行。

曾多達一百五十人，校園內到處洋溢鼓笛悠揚的樂聲。呂泉生組織這支鼓笛隊煞費一番苦心，過去台灣並無製作西樂器的工廠，全靠日本輸入；日本人離開台灣後，連帶切斷樂器進口的管道。因靜修參加鼓笛隊的人數眾多，樂器嚴重不足，呂泉生把音樂教室裡大大小小數十面舊鼓逐一整修過，並到市面上選購一種粗細適當的鐵管，試製一把音律準確的笛子，再交由工匠大量複製。為了挑出音律準確的笛子，呂泉生一把把試吹，

▲ 呂泉生作的《靜修進行曲》，是為靜修女中鼓笛隊寫的歌。

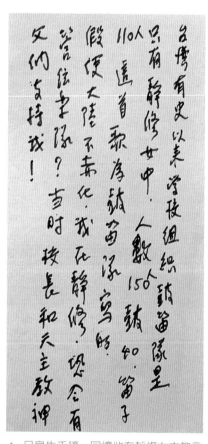

▲ 呂泉生手稿，回憶他在靜修女中教音樂時的盛況。

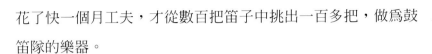

花了快一個月工夫，才從數百把笛子中挑出一百多把，做爲鼓笛隊的樂器。

關於在靜修的這段日子，呂泉生曾憶起一段小故事：[4]

靜修藝術班沒辦成，我就組了一支鼓笛隊，還寫了一首《靜修進行曲》給她們練習……。

有次我率團去新加坡演出，在下榻的旅館見到一群婦人，一時間想不起來她們是誰？但她們一句話也不說，很神秘的樣子，然後一起哼出：｜3·33·3｜321-｜6·71·6｜535-｜……的旋律，我一聽，才知道原來她們是靜修的學生。

呂泉生在靜修一直教到一九五七年，因辜偉甫成立「榮星兒童合唱團」，呂泉生想騰出更多時間訓練這支合唱團，才辭掉這兒的兼課。

【熱情的合唱指揮家】

呂泉生不一定是台灣最早指揮合唱的人，但卻是最早具備合唱專業知識、賦予合唱完整社會功能的合唱音樂家，這與他早年在NHK合唱團的歷練有關。台灣合唱風氣的勃興，起因於二次大戰期間，日本人大力推動合唱活動，因此在台北，就有林林總總的合唱團應運而生。呂泉生從一九四二年回台以後，以他在東京的顯赫資歷，很快成爲台、日人間最有名望的合唱指揮家，台灣人以他爲榮，日本人也不敢看輕他，從戰前到戰後，只要跟「合唱」沾得上邊的活動，就有「呂泉生」三個字的蹤跡。

註4：孫芝君，《呂泉生先生訪問日記》，1997年11月24日。

戰前呂泉生受邀指揮過數個合唱團：台北放送局合唱團、桔梗俱樂部合唱團、晝休み合唱團[5]；其中訓練最久、成效最顯著的，是由純粹台灣青年組成的厚生合唱團。

「厚生合唱團」[6]是呂泉生自日回台後，一手帶起來的合唱組織。原本是幾個愛樂的年輕人，定期來向呂泉生請教音樂方面的知識，後來參加的人越來越多，有天唱歌時，眾人不期然哼出四部和聲，自然而然發展成合唱團型態。厚生合唱團在台灣音樂史上最著名的事例，是參加一九四三年「厚生演劇研究會」發表的新劇《閹雞》，擔任其中換幕合唱，三首呂泉生採譜改編的台灣民謠——《六月田水》、《丟丟銅仔》與《一隻

註5：「晝休み」，日文為「午休時間」。此為業餘男高音林和引在台北市榮町（今衡陽路）日本樂器會社出張所二樓創辦的合唱團體，參加者多是附近機關行號喜愛唱歌的青年男女，利用中午吃過飯的休息時間來練唱，參加者不必繳交學費，但須購買該合唱團之樂譜，每份一角錢。

註6：厚生合唱團剛成立時名為「厚生音樂會」，此處的「音樂會」並非西文之Concert，而是指「音樂之集會」。後來此一集會發展成合唱團性質，就有人稱其為「厚生合唱團」。

註7：XUPA是台灣廣播電台剛成立時的電台呼號，電台合唱團以此為名。

▲「厚生音樂會」是呂泉生回台後所領導的第一支合唱團，團員中只有少數的女生，所以自然而然發展成男聲合唱團。

鳥仔哮救救》，自此聲名大噪。戰後這支合唱團仍繼續存在，但因職業合唱團相繼成立，「厚生」很快就被其他團體吸收，自然而然地瓦解了。

　　一九四五年底，福建省立音樂專科學校創辦人蔡繼琨（1912～）以警備總司令部少將參議身份來台，準備以軍方力量在台成立一支交響樂團。該年底，蔡繼琨在中山堂一場救濟海外災胞的慈善音樂會中，初次聽見呂泉生指揮厚生合唱團演唱《丟丟銅仔》等三大民謠，一時大表驚艷，翌年籌組交響樂團附屬合唱團時，就指名非請呂泉生擔任指揮不可。

　　呂泉生個人的合唱指揮經歷，幾乎涵括戰後初期所有的合唱活動。因為他的音樂能力強，指導合唱的態度又嚴謹，每次帶團，從選曲到訓練，都讓團員心服口服，成為檯面上合唱指揮的不二人選。從一九四六到一九四九年間，他同時擔任過當時樂壇最大兩個合唱團體——「交響樂團附屬合唱團」與台灣廣播電台所屬的「XUPA合唱團」[7]的指揮；但由於他指揮交響樂團附屬合唱團的意願不高，年餘之後找到機會，就放手交給別人去做。「XUPA合唱團」則是他一手申請成立的廣播合唱團，呂泉生為它奉獻甚多，幾次經費來源困難，大家還是靠一股熱忱，咬牙撐下去；但自呂泉生離開中廣後，團員的向心力潰散，後繼者接手不到三個月，這支合唱團也就解散了。

　　一九五一年，以游彌堅為首的「台灣文化協進會」，依該會目標組織合唱團，號召先前厚生與XUPA的團員回來參加，再加上若干新進團員，組成「文協合唱團」，由呂泉生出任指

時代的共鳴

　　「台灣省立交響樂團」簡稱「省交」，在一九九九年「精省」後，更名為「國立台灣交響樂團」。省交是台灣歷史最悠久的交響樂團，一九四五年，由福建籍音樂家蔡繼琨來台所組織，最初名為「台灣警備總司令部交響樂團」；一九四六年，脫離警備總司令部系統，更名為「台灣省行政長官公署交響樂團」；一九四七年五月至一九四八年一月，行政長官公署變革為台灣省政府，故又更名為「台灣省政府交響樂團」；一九四八年改稱「台灣省交響樂團」。一九四八年至一九五○年，因省議會決議裁減樂團，故由台灣省藝術建設協會收容，更名為「台灣省藝術建設協會交響樂團」；一九五一年，由省教育廳接管為「台灣省政府教育廳交響樂團」，簡稱「台灣省立交響樂團」。

揮，每星期在福星國校練習一次，一年舉行一次公開發表會。以往台灣合唱團演出時都屬陪襯性質，不是與交響樂團一同演出，就是在獨唱家表演時站在後面陪唱；但一九五四年，呂泉生領導文協合唱團在台北國際戲院舉行一場售票音樂會，演唱曲目全是合唱曲，有黃自（1904-1938）的清唱劇《長恨歌》、陳田鶴（1911-1955）作曲的《河梁話別》，還有中外民謠合唱曲多首。呂泉生認為，這次表演，揭示台灣合唱團表演地位的提昇，證明合唱節目也可以是音樂會中的主角，意義至為重大。

台灣文化協進會隨游彌堅理事長任期屆滿而活動漸告停止，營運後繼乏力的原因，固然與游彌堅政治實力日漸消褪有

▲ 前中廣音樂組長林寬（左一），過去是呂泉生電台演藝股的同事，也是 XUPA 合唱團的成員，與呂泉生交情深厚。他的字跡工整，刻工細膩，《新選歌謠》九十九期繪譜都由他一人完成。

▲ 雖然牆上掛著「榮星」兩個字，後排的大人都是文協合唱團的成員。

關，但主要是它當初協助政府改造台灣文化、推行國語國文的
階段性任務已告完成，而今滄海桑田，大環境早已今非昔比。
因此隨文協功能之轉淡，文協合唱團慢慢停止了練習，在榮星
兒童合唱團成立後的翌年，正式走入歷史。

　　較不為人所知的是，呂泉生還指導過大同公司員工合唱
團。呂泉生一直有推動大眾合唱的熱忱，尤其鼓勵民間單位最
好都能組織合唱團，推廣合唱運動，這不只是出於音樂能薰陶
人身心、涵泳人性的觀點；而是他篤信：任何團體都能透過

「合唱」的行為，達成凝聚內部共識與向心力的功能，對小至公司機關、地方社區，大至國家民族、乃至全人類，都可產生影響；因此只要有人誠心來求他，他都願意盡力幫助對方。一九六〇年，大同公司董事長林挺生請他指導他們的員工合唱，呂泉生當時早已是國內鼎鼎有名的音樂家，有感於林挺生的誠意，還是願意到大同公司，教一群不認識五線譜的員工唱歌。他指導大同員工合唱團為時雖僅有一年，但理念得以彰顯，呂泉生認為這樣的付出還是有價值的。

關於與大同公司的這段緣份，有個小故事：

與林挺生先生見面後，我坦白地對他說：「林先生，首先我要向您說一聲謝謝！因為您要提供一塊音樂園地，這對我國音樂界真是一大動力。不過我有三點意見要先向您提出，第一、應有固定練習場所與設備（要有一架鋼琴，一個可寫樂譜的五線黑板和可放樂譜的櫃子）。第二、要有一定的練習時間和招團員的簡章（以防止團員隨意進退）。第三、合唱是音樂，是聲音的藝術，須要有學術性理論，不可以表演為目的而以填鴨式的訓練應付表演。」

林先生回答說：「第一、二點都沒有問題，關於第三點，因為我對合唱是外行，我先講個故事給你做參考：清朝西太后時，常受洋人的欺負，每次都打敗仗，西太后非常著急，就問大臣們，我們人馬這樣多為什麼每次都打敗仗？大臣們回答：『敵人有大砲、機槍等所以才打不過他們』，西太后就下令趕快買大砲、機槍等火藥武器，結果還是打不過敵人。研究結果才

註8：　呂泉生，《合唱在台灣》（九）。

註9：　「呂先」是「呂先生」的簡稱，日文「先生」意指老師。

知道，洋人發射大砲是用精密的數學來計算距離的，清兵卻只顧開砲不會計算距離，自然打不到敵人。」工業界巨人林先生這番意味深遠的話我很能心領神會……[8]

【家塾式藝能教育】

在音樂教育還不普及的年代，家塾式的藝能教育是台灣所有想學音樂的人必經的教育管道。許多有志學習音樂的人，從小到老師家拜師學藝，一直到參加完大學聯考，所有藝能學習都是在老師家靠一對一的教育完成，甚至學生畢業後自我進修，也是私下找老師進行，形成音樂界特有的家塾教育文化。

早年音樂老師沿襲日本時代的風氣，會為自己的家塾立個字號，如陳信貞在台中成立「台中婦女鋼琴研究會」，聲名卓著的鋼琴家張彩湘（1915-1991）創辦「台北鋼琴專攻塾」，呂泉生的家塾則名叫「呂泉生聲樂研究所」。有的老師會在家門口釘一面小招牌，便於外人辨識，但更多老師的家塾是靠口耳相傳，想上課的學生自己找門牌進來。呂泉生的「呂泉生聲樂研究所」，只有對外發表時才用此名稱，平時上課，學生都叫他「呂老師」，年紀大一點、受過日本教育的，背地裡則稱呼他「呂先」（ロセン）[9]。

呂泉生是名音色渾厚的男中音，在東洋音樂學校師事聲樂部主任阿部英雄，在日本劇場期間又拜留德聲樂名家月岡謙之助為師，上過兩年課，對他的歌唱技巧大有幫助。呂泉生回台後，陸續有喜愛音樂的年輕人來找他學唱歌，自然開始他設塾

時代的共鳴

張彩湘（1915-1991），苗栗頭份人，父親張福興（1888-1954）是近代台灣第一位音樂家。耳濡目染之下，張彩湘立志學習音樂；一九三五年台北二中畢業後，考入東京武藏野音樂專門學校，主修鋼琴；一九三九年畢業，一九四三年參加東京讀賣新聞舉辦之新人賽，獲入選。一九四四年束裝返台，先在台中師範新竹分校任教，一九四六年獲聘為省立台灣師範學院（今台灣師大）音樂系講師，同年創立台北鋼琴專攻塾，教化門生無數。張彩湘執全台鋼琴教育之牛耳達三十年以上，是戰後初期全台聲望最為崇隆的鋼琴教師，有關他當年在六條通家中授琴之盛況，可謂當代教育傳奇。

傳藝的生涯。他教聲樂極重學生個人基礎的好壞，光是發聲練習，就可讓學生琢磨好幾年光陰，有名的新竹男高音聲樂家楊兆禎就是他精雕細琢出來的學生，在門下經過兩年發聲訓練才准其唱練習曲，果然開口時便一鳴驚人。

呂泉生每隔一兩年就為門生舉行一次聲樂公開發表會，前後共辦過八次，造就過不少出色的歌者：男高音林福裕、李君亮、楊兆禎，男中音劉明德、楊文光，女高音郭惠珍，次女高音余由紀，都是呂泉生口中常提起得意的門生。和同輩音樂家比起來，呂泉生的門生不算多，總維持在十二、三人左右；但

▲ 聲樂學生發表會。

生命的樂章

跟同行的聲樂老師比起來，他又是學生最多的老師了。因為學聲樂不比鋼琴要從小學起，可以等變聲期過後再訓練，所以一般聲樂學生的初學年齡比較大，大部份是剛出道的社會青年，或在學中的大專生。

呂泉生教學的態度是直擊對方缺點，卻不輕言讚美他人長處，這樣的個性常讓人望而生畏；但私底下卻有他柔軟、通人性的一面，能諒解他脾氣的學生，多都能與他維持親情般的師生情份。當時音樂界有一種風氣，每隔一段時間，同等級的音樂老師便聯合起來調漲學費，拉抬自我行情；呂泉生看不慣這種風氣，不願推波助

▲ 高足郭惠珍，是呂泉生教過最好的花腔女高音。

瀾，竟惹來同行間「不合作」的惡名。他記得在東京求學時經濟拮据，恩師井上定吉見他用功，課餘常免費為他授課，讓他感激在心，深知沒錢學音樂的苦，因此現在對學生，他也不訂收費標準，由學生衡量自己的經濟情況付費。有時候他發現某學生課上一上突然就不來了，打聽之下才知道，學生南部家中因天災農作收成欠豐，無力再繳費上課，他就把學生叫來，說：「我沒跟你計較過學費，你下次還是繼續來上課吧。」

對真正有成就的學生，呂泉生有機會總是盡量幫助他們。

余由紀是實踐家專家政科畢業的學生，高中起就私下和呂泉生學唱歌，畢業後被呂泉生延攬來音樂科擔任助教，引起同事間的流言，呂泉生為了證明他之所以延聘余由紀是因為她的實力，不是出於私心，於是責令余由紀舉辦個人獨唱會，以舞台成績來平息眾人的疑慮。一九七七年，余由紀得到一位西班牙籍神父的青睞，幫她申請獎學金，助她前往西班牙深造；呂泉生得知此消息，特為她在全省舉辦六場獨唱會，以門票收入為她籌措旅費。翌年余由紀順利進入馬德里皇家音樂院就讀，留學期間又考上西班牙國家廣電合唱團，在歐洲展開多采多姿的

▲ 余由紀也是呂泉生的高足。此為呂泉生前往西班牙旅遊時，在余由紀（左）馬德里家中對談的情景（2001年）。

演唱生涯。

大約從一九六○年起，因榮星兒童合唱團經過兩、三年摸索，規模已日漸擴大，發展也愈趨制度化，呂泉生希望課餘時間能專心經營這個兒童歌唱團體，乃決定停收私人學生，結束家塾授課，只偶爾在發表新作時，請以前的門生過來幫忙。榮星的第一批音樂教師：林福裕、鄭煥璧、郭惠珍，連同稍晚到來的余由紀，都是他一手調教出來、承先啓後的傑出弟子。

▲《呂泉生歌曲集》LP唱片，余由紀獨唱（台北，四海，1985年）。

【實踐家專音樂科主任】

實踐家政女子專科學校是當時台灣省議會副議長謝東閔（1908-2001），於一九五八年三月在台北大直創辦的一所學校。呂泉生與謝東閔結識於一九五○年，當時呂泉生在靜修女中籌設藝術班，到教育廳辦理立案登記時，主理的長官正是當時的副廳長謝東閔。謝東閔親切地與他閒話家常，知道呂泉生也是台中一中的校友，但入學時間較他晚了九屆，算是他的後

輩；因這層因緣，讓原本互不相識的兩人很快就熟絡起來。

呂泉生認爲在自己一生事業中遇見過兩位貴人——一位是游彌堅，一位是謝東閔。雖然外界很多人都說他們兩人是「半山」[10]，但在呂泉生眼中，這兩人都是政治界裡少數懂得尊重文人、尊重文化的好長官。游彌堅找他去省教育會編音樂教科書、主持歌謠徵選，讓他爲教育界立下汗馬功勞；謝東閔找他來主持實踐家專音樂教育，不但安頓他的生活，還給他一個一展所長的機會。兩人都不曾強迫呂泉生加入政黨活動，讓他安心做音樂上的事。對呂泉生來說，給他一個適才適所的工作機會，遠勝過誘以之高官厚爵、卻要他以音樂爲政治做酬庸。

對謝東閔校長的教育觀念，呂泉生是頗爲折服的，他說：

謝東閔校長對女子教育有他的一套，我曾聽過他說訓導處應該改成輔導處才對……。記得有一次校工搬來一面大鏡子放在樓梯旁邊，我以爲這面大鏡子是否要放在化妝室，就向校工說，校工說校長說要放在樓梯下；話剛說完校長來了說，放在這裡沒錯，要讓每個人可看到自己的姿態容貌怎麼樣，可隨時整理頭髮衣著，不只是學生，老師也一樣可由這面鏡子看看自己的狀態。他對教育的理想是實踐重於理論。[11]

實踐家專的音樂科直到一九六九年才成立，在此之前，呂泉生負責該校所有專一學生的必修音樂，兼訓練該校合唱團。呂泉生教學以嚴格著稱，上課提問，先從第一排點起，不會的就罰站，弄得只要一到音樂課，鐘還沒敲，大家都先到音樂教室搶座位，唯恐來晚了得「上坐」。謝東閔兼任校長，省議會

沒事就北上家專視事，有時到教室後面坐坐，看各科老師上課的態度、學生的反應。他看到呂泉生罵學生不留情面的樣子，還罰學生站，忍不住私下求情說：「她們都已是大學生了……」呂泉生卻不客氣回答：「可是她們音樂上的程度還是小學生！」讓謝東閔碰一鼻子灰。

　　在實踐家專，呂泉生上課兇，考試當人可也兇得很出名，學生只要聽到「音樂課」三個字，膽顫之餘只有哀聲嘆氣，人人一張苦瓜臉。可是呂泉生的耐性也非常人所能及，考完試，他總要到教務處打商量，請求寬延繳交補考成績的期限，因為別的老師補考一次就定案，他卻讓學生反覆補考三、四次，直到及格為止。教務主任沒看過天底下有這種老師，問他：「不怕麻煩？哦，是嗎？好啊，我等你！」一副誰怕誰的樣子。就這樣考了又考，直到所有不及格的學生都考到及格，才算結束考試，這就是呂泉生式

▲ 呂泉生寫給謝東閔的詩句《猜猜看》。

看猜猜

死亡育府士廳業有富士
不怕大教學人客工廳民人
生求退進一維猜他提倡廳區作
能知他做加有猜
工工精著
呂泉生題
89.2.26

註10：半山，是時代特有的名詞。台灣本地人過去稱呼來自外省的大陸人是「唐山客」，戰後省籍情結對立，遂以「阿山」稱呼外省人；對戰前移往大陸發展、戰後回台並擔任公職的台灣人，則稱其為「半山」。

註11：呂泉生，〈回憶實踐家專，並祝建校四十週年紀念〉。

「愛的教育」。上二、三年級以後，只要繼續選修音樂課的學生，畢業後通常能勝任中等學校音樂教職，在當時一片音樂人才荒的時代，呂泉生訓練出來的家專生投身教育界，不但能教家政，音樂課也可以代勞，非常搶手。

一九六九年，謝東閔體察時勢，實踐家專又創設音樂科，請呂泉生出任首屆科主任。在呂泉生的規劃下，家專音樂科設立聲樂、鍵盤樂、絃樂、（木）管樂四個組別，但不設作曲組，且管樂除法國號之外，不收其他銅管類樂器。呂泉生的理由是，作曲是相對高深的學問，許多大學生連基礎的古典、浪漫音樂都處理不好，就刻意談現代音樂創作，實在是譁眾取寵，因此家專傾向加強音樂基礎訓練，不設作曲組。至於銅管樂只收法國號，是因為法國號的音色陰柔，吹奏姿態優雅，女子習吹尚可，至於其他銅管樂器，不但厚重不適女子體格，演奏架勢更不合女子優美的形象，實踐家專是所女校，不能不考慮這方面問題。

呂泉生還以切身之痛，規定音樂科學生體育課不可上激烈的球類運動，只能上游泳、體操這些對雙手沒有直接威脅的運動，此舉雖引來學校體育老師的不滿，但呂泉生堅持雙手是音樂科學生最珍貴的工具，為免於遭受傷害，是絕對必要的措施。一九七一年，呂泉生又在副修樂器項目中增加電子琴與吉他兩項，他以電子琴為日漸普及的樂器，有一定市場需求，將當時被學院派樂界視為「流行音樂」的電子琴納入音樂科教育體系；並為鼓勵國內吉他製造業的發展，開設吉他副修，都是

當代突破成規的新穎做法。

　　呂泉生管理音樂科，堅持一個「理」字，決不妥協。台灣音樂界經過二十幾年的閉關教育，嬌寵了音樂人，卻折損了新一代習樂者的心胸，他們音樂上的識見或許比老前輩高了一點，但對名利的需索卻更甚於前者。音樂科新聘的老師都是剛從歐美留學回國的新銳音樂家，是音樂界裡的精英，但來學校教書卻提出千奇百怪不合理的要求，呂泉生聞所未聞。

　　好比有老師嫌學校遠，刻意不來學校，要學生跑大老遠到

▲ 呂泉生（後排右一）率領實踐家專音樂科第一屆學生環島演奏旅行。

▲ 呂泉生指揮實踐家專管絃樂團演出時的情形。

▲ 實踐大學音樂系成立三十週年系慶，坐在他身邊的兩位是校長謝孟雄（前排右
三）、林澄枝（前排左二）夫婦，林澄枝當時是行政院文建會主委。

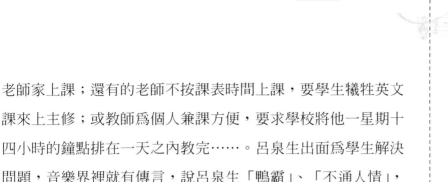

老師家上課；還有的老師不按課表時間上課，要學生犧牲英文課來上主修；或教師爲個人兼課方便，要求學校將他一星期十四小時的鐘點排在一天之內教完⋯⋯。呂泉生出面爲學生解決問題，音樂界裡就有傳言，說呂泉生「鴨霸」、「不通人情」，還有人一狀告到校長謝孟雄那邊，後來問題向上發展，驚動了謝東閔，結果謝東閔聽完呂泉生的報告，一句：「把那些人解聘掉！」才止住了問題。

　　一九七八年，呂泉生發現自己體力大不如前，容易疲倦，乃決定申請退休，好好檢查身體，事後發現是甲狀腺瘤，緊急切除才保住一條老命。隔年，家專聽說他身體康復了，敦聘他回校任教；盛情難卻下，呂泉生提出不再兼音樂科主任的要求，才答應重拾教鞭。第二度回到實踐家專，呂泉生受到的待遇異常溫暖，學校視他爲瑰寶，音樂科師生也以他爲榮。大家知道他七月一日生日，每年都趕在學年上課的最後一天爲他舉行慶生會，這習慣直到一九八六年，他七十歲屆齡退休爲止；在家專任教的最後那幾年，實是他人生中一段美好的回憶。

　　一九九一年，呂泉生移居美國，爾後只要回台灣，都抽空去外雙溪寓所探視謝東閔，報告自己在美退休的生活與實踐音樂科師生在海外發展的現況，算是回報老長官的知遇之恩吧。

以歌逐夢的氣魄

　　一九五六年底，呂泉生的好友、也是台中一中的學弟辜偉甫（1918-1982）來找他，說要給他聽張唱片——《上寺村兒童合唱音樂會》（Obernkirchen Children's Choir Concert）[1]；這是辜偉甫的妹妹秀治從國外寄來的，辜偉甫聽過了很感動，要呂泉生也聽一聽。

【榮星兒童合唱團】

　　據呂泉生的回憶，《上寺村兒童合唱音樂會》這張唱片是二次世界大戰後，一位美國人到西德去考察當地人民的生活，在一個叫做上寺村的小村落之中，一座被炸傾斜一半的天主教堂裡面，一位老婆婆彈著吉他在教一群男女兒童合唱，歌聲非常動聽。這位老美問她為何在此唱歌？她說：這些兒童是無家可歸的孤兒，我把他們收養在這裡，並對盟軍請一筆錢來養育他們，我以前是小學教師，現在可以教他們唸書、工作、自立自強，閒下來就教他們唱歌。老美對她說：假如我請你們到美國來演唱，是否可以呢？她說：若對這些兒童們有好處、有幫助，我願意到美國去演唱。經過一年多，這些孤兒真的到美國各州的教堂巡迴演唱，並且得到很多捐助；這張唱片並在美國灌製，發行到全世界。[2]

註1： Obernkirchen是一小鎮名，在德國北部大城漢諾威（Hannover）附近，Ober的意思是「上方」，Kirche是「教堂」，「上寺村」可能是日式譯法。

註2： 呂泉生，〈我在榮星合唱團35年〉。

後來辜偉甫提出成立一個像「上寺村」一樣的兒童合唱團的想法。呂泉生以為辜偉甫隨便說說罷了，便告訴他，若想成立就成立，興趣一過就不想做的話，不如不要做；沒想到辜偉甫的態度認真，呂泉生只好接受委託，試著組織一個兒童合唱團看看。

辜偉甫將新成立的兒童合唱團命名為「榮星」，意在紀念他的父親──辜顯榮（1866-1937），因為他的父親名顯榮，字耀星，「榮星」二字是取其父親名、字的尾字而成。辜偉甫本有一籌建「榮星兒童樂園」的龐大計畫，因諸多阻礙難以施行，最後只好將樂園原址改建為「榮星花園」；原本兒童合唱團是「榮星兒童樂園」下的一個子計畫，卻因為呂泉生的緣

▲ 呂泉生與辜偉甫（右）是榮星的「爸爸」和「媽媽」，一個扮黑臉、一個扮白臉，提頭提尾把榮星拉拔長大。

歷史的迴響

辜顯榮（1866-1937），彰化鹿港人。一八九五年日軍登台時，由紳商推派為代表，親至基隆港岸迎接，自此聲名大噪。日本時代，他備受日本政府重視，先取得鹽專賣許可，獲利豐厚；後除官鹽、鴉片總批發外，事業還廣及糖業、金融、建築、漁業。一九三四年，當選台灣人中之首位日本貴族院參議員，終日本之世，台灣人總共只有四位曾任貴族院議員，而他比另外三位早了十一年。

▲ 位在台北市涼州街的辜家鹽館，從1963年7月到1985年5月，是榮星合唱團的團址。

故，成為夭折的榮星計畫中唯一綻放光芒的榮耀之星。

呂泉生過去帶過很多成人合唱團，但沒有指導兒童合唱團的經驗。他答應帶這支團體，是應辜偉甫的邀請，也是天生不服輸的個性使然，因為當時台灣還沒有一支正式的兒童合唱團，大家對兒童合唱的概念還很模糊；不過呂泉生相信，成人合唱與兒童合唱之間，容或有發聲上的差異，但合唱的指導要領仍有許多地方是相通的；他有興趣接受這個挑戰，也想看看憑自己的能力，能把這支團體帶到什麼樣的程度？決定之後，辜、呂兩人即為接下來的招生問題而忙碌。萬事起頭難，兩人分頭拜託自家親友，請他們把家裡還在國校讀書的小朋友帶來，組成榮星第一期團員。

一九五七年四月十日，榮星兒童合唱團就在辜偉甫民族西路的豪宅客廳裡舉行成立儀式。有關合唱團的所有設備、費用，都由創辦人辜偉甫一人負擔；呂泉生被授命為團長，負責處理合唱團所有業務：從音樂教師的聘任、課程進度的規劃、合唱教材的選編、教學方式的制定……等等，都是呂泉生說了算。由於辜偉甫希望這支合唱團未來能屬於社會大眾，團員不侷限於自家人，於是第二年起，榮星開始對外招生，由於學費全免，吸引台北市不少家長帶小孩來報名。呂泉生規定的考試內容很簡單，只要唱一首童歌《花園的洋娃娃》、及一行上下行的音階即可。這麼簡單的考試內容，主要是想吸引更多小朋友來報名，才有機會從中選出表現力強、又愛唱歌的小朋友，

▲ 榮星合唱團第一次在台大醫院禮堂舉行發表會，台下擠滿關心孩子的家長，整個會場熱鬧得就像遊藝會一樣（1957年12月5日）。

加入合唱團。

　　雖然社會人仕看「榮星合唱團」有不少負面的評語，認為此時升學壓力正熾，他們不讓子弟下課後好好在家讀書，卻成立這樣一支合唱團，不過是紈袴子弟附庸風雅的舉措……。自從榮星舉行過第一次發表會後，樂界的評論漸趨向正面，認為榮星音色上相當透明，頭聲發音也訓練得不錯，可見主持人的用心訓練……，給了大家很大的鼓舞。

　　正當大家將目光集中在榮星的音樂技巧上時，一些外國來的合唱專家卻能一語道中時弊，讓位在封閉之島的榮星聽見不一樣的聲音。一九六〇年，美國宗教音樂專家、西敏寺大學合唱團總指揮威廉遜（Prof. Williamson）來台，由淡水純德女中德明利姑娘（Miss I. Taylor）陪同，到榮星參觀。威廉遜在聽完榮星的演唱後，他提醒呂泉生：榮星目前採混齡教育，各期團員的年齡參差不齊，所以訓練起來事倍功半，往後若實施分齡教育，才有將來性可言。正好經過兩、三年試驗，呂泉生也發覺到混齡教育的缺點，因此隔年招生時，即嚴格限制報名者必須是國校一、二年級學童，也因此開啓了榮星制度化訓練的契機。

　　一九六一年，美國茱莉葉絃樂四重奏來台訪問演奏，順道參訪榮星，對小朋友們的表現相當讚賞，回美之後他們向林肯藝術紀念中心推薦，邀請榮星兒童合唱團赴美表演；一九六四年林肯中心的邀請函傳到中華民國行政院，請求派遣榮星兒童合唱團於一九六五年八月前往該中心演出。得知此一消息，上

從辜偉甫、呂泉生，下到先修班的小朋友，大家都很振奮；而
榮星即將代表中華民國赴美表演的消息也透過報紙媒體披露，
引起文化界高度的關注。為應付在美演出可能面臨的種種場
面，呂泉生準備高達七十首的曲目，並將每週兩次的練習提高
為四、五次，團員在榮譽心的驅使下，儘管升學考試的壓力近
在眼前，許多高年級的小朋友還是咬緊牙關，全力以赴。

　　不過出國演唱的經費龐大，台灣當時才剛脫離美援，經濟
尚未站穩腳步，許多家長無力負擔兒童赴美表演的昂貴旅費，
如真要成行，勢必得由政府補助經費才行，於是榮星一面加緊
訓練，一面向行政院提出申請。到一九六五年六月，離預計訪
美的時間只剩下兩個月，再不辦手續就來不及了，但行政院方

▲ 來榮星訪問的美國茱莉葉絃樂四重奏樂團，回美後極力促成林肯中心邀請榮星赴
　美表演（1961年）。

面的同意公文卻遲遲未能批下，辜偉甫只好託遠東音樂社的老闆江良規代向美國林肯中心詢問，得到的答案竟是政府已因經費困難，早在半年前就回絕了對方的邀請，只不過消息被壓了下來，沒有通知榮星而已。驟然得知此一結果，大家的心情都沉落到谷底，但經過整整一年的密集訓練，榮星的水準已見大幅躍升，是此一事件的實質收穫。

　　兒童隊的孩子們來自各不相同的學校，各不相同的家庭，有窮家的子弟，也有富家的千金，唯一相同的是他們都有一顆純潔無垢的童心。家長們對他們的期望也互不相同，有的望子成龍，盼他們成為一個出色的音樂家；有的只希望孩子們能從音樂裡得到一點慰藉，借此陶冶他們的心靈，而使他們成為一個善良忠厚的人；有的只為自己的面子，認為這是一種時髦的玩意，因某家的孩子都參加了，毫不關心孩子們的才能與興趣，只是讓孩子們來充充數。但是榮星的目標與理想，是要使這團體成為一個世界第一流的兒童合唱團，並能在世界樂壇爭一席之地！[3]

　　榮星以成為世界一流合唱團為目標，與國外兒童合唱團一較高下的雄心，在一九六七年首度得到實現。一九六七年十一月，辜偉甫、呂泉生兩人的好友——日本東京少男少女合唱團理事長長谷川新一居中牽線，邀請榮星兒童合唱團代表中華民國，前去東京參加第二屆「亞洲兒童合唱節」大會，很快得到我駐日大使館的同意，批准行程。這次出國，日方言明補助食宿，旅費方面則部份由辜偉甫貼補、部份由家長負擔，解決了

註3：林福裕，〈專任教師八年的回顧和展望——孩子們可歌可泣〉。

最棘手的問題。

　　這次的「亞洲兒童合唱節」共有中、日、韓三國參加，日本地主國的參賽隊伍即高達十二隊。大會演出中，呂泉生仔細比較各隊的優劣，發現除了著名的東京少男少女合唱團與NHK廣播兒童合唱團兩隊的實力突出，可與榮星媲美外，日本其他區域性隊伍與代表韓國前來參加的鄉聲兒童合唱團，水準都及不上榮星。這是呂泉生第一次將榮星放在東亞國際舞台上，和各國隊伍實際比較的結果，成績令他相當滿意。

　　除了自信心的提昇，此行還有另一項重大收穫，就是觀摩法國「木十字架少年合唱團」的表演，對呂泉生如何率領榮星步上世界一流兒童合唱團之林，有重要的啓示作用。法國「木十字架少年合唱團」是與奧國「維也納少年合唱團」齊名的世界兩大童聲合唱團體，此次參加大會，在東亞各國兒童合唱團面前做示範性演出。在觀摩音樂會中，呂泉生發現木十字架合唱

▲ 維也納少年合唱團二度來台訪問，在掛有榮星標誌的會場與榮星團員進行合唱交流，對榮星有正面激勵的作用（1964年）。

▲ 榮星代表我國赴日參加第二屆亞洲兒童合唱節大會，抵達日本後在我駐日大使館與大使會晤的情形。

▲ 呂泉生指揮榮星演唱美國民謠《青空》、他作曲的《漁父辭》、及山田耕筰的《蘆花鳥之歌》，在NHK電台演出，贏得現場極大的掌聲（1967年11月5日）。

▲ 榮星上課一景。上課時間，小朋友聚精會神聆聽團長教誨（1959年）。

▲ 榮星在菲律賓馬可仕總統官邸為夫人伊美黛獻唱（1968年7月23日）。

▲ 榮星的步履第一次踏上美國大陸本土（1980年）。

▲ 刊在美國華文報紙上的榮星演唱會廣告。

團不僅能演唱完美的無伴奏清唱曲，還能在不給起音的情況下，精準唱出飽滿、正確的和聲，讓他非常驚訝。

觀摩會結束後，他透過大會翻譯，請教台上指揮的神父：如何在不給起音的情況下演唱無伴奏清唱曲？和藹的神父仔細解釋木十字架的絕對音感教育：他們一開始就讓兒童記下每個音的絕對音高，再依序教導音程的概念，讓兒童無論在任何情況下，都能唱出精準的音高與和聲，這樣一來，練習無伴奏清唱曲就不需要樂器起音了。呂泉生洞悉此一關鍵後，決心回台加強孩子們的絕對音感與和音感訓練，立志要在十年之內，讓榮星也達到不給起音，直接唱無伴奏清唱曲的世界水準。

　　呂泉生的願望沒到十年就達成了。一九七三年，他率榮星兒童隊到東南亞巡迴演出，在泰國曼谷的中華會館進行最後一場表演時，原本大使館說好要搬來鋼琴，卻到開幕前都不見承辦人與鋼琴的蹤影，觀眾又已湧入會場，迫不得已，合唱團只好臨時變更曲目，全部改唱無伴奏清唱曲。呂泉生在後台一首首詢問兒童，大家都說沒問題，這樣決定出十二首替代的歌曲，完滿達成任務。榮星的臨場反應震驚當地僑界，消息傳回國內，輿論一片嘩然，卻也獲得掌聲連連。

▲ 一次又一次的出國，榮星優美明亮的歌聲，帶著辜偉甫、呂泉生的夢，不斷朝遠方飛去。

呂泉生指揮榮星合唱團海外演出一覽表			
時間	演出隊伍	主辦單位	演出地點
1967年 11月2—9日	兒童隊	東京第一屆 亞洲少男少女大會	日本東京
1968年 7月22—29日	兒童隊	馬尼拉青商會	菲律賓
1973年 7月16—27日	兒童隊		印尼、泰國、 新加坡
1974年 7月13—27日	婦女隊		印尼、新加坡、 馬來西亞
1977年 7月12—15日	婦女隊	馬尼拉青商會 香港工會協會	菲律賓、 香港
1977年 7月16—22日	兒童隊		菲律賓、新加坡、 泰國、馬來西亞
1978年 7月19日— 8月10日	兒童隊	西區扶輪社	日本鹿兒島、 京都、東京、 美國檀香山
1980年 7月12日— 8月9日	兒童隊	美國基督教路德教會	美國各地 旅行演唱
1984年 1月26日— 2月13日	兒童隊	美國宗教廣播大會 （NRB）	美國各地 旅行演唱
1988年 2月8 —10日	兒童隊	新加坡新聲音樂協會	新加坡
1989年 8月21—30日	兒童隊	友人安排	美國各地 旅行演唱

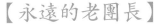

【永遠的老團長】

　　榮星兒童合唱團剛開始只招收兒童，一九六一年在眾人要求下開辦混聲隊，一九六二年又成立主婦隊，因應規模之擴大，因此取消「兒童合唱」專名，改為「榮星合唱團」。

　　自一九六七年首度踏出國門後，榮星的知名度大增，成為各界爭相邀請的團體。兒童隊的演出機會多，主婦隊與混聲隊的邀約也不少，光為了訓練這三支隊伍，與應付接連不斷的演出，就花去呂泉生所有課餘以外的時間。一九七○到一九八○年，是榮星外務最多的年代，辜偉甫在工商界、政治界都有廣闊的人面，因此許多政商團體開會時，都希望能請到榮星獻唱，以他們天使般的歌聲為會議增添光彩；每隔一兩年就有商界或僑界代表邀他們出國表演、宣慰僑胞，聲名遠播東南亞。

▲ 呂泉生率領榮星參加總統府音樂會，會後與李登輝總統、曾文惠女士合影（1992年2月）。

對當時遭受退出聯合國、中美斷交一連串外交打擊的國人而言，榮星優異的表現得以告慰國人受創的民族自信，讓大家引以為傲。

一九八二年九月二十七日，一手呵護榮星長大的創辦人辜偉甫不幸因癌症病逝台大醫院。辜偉甫的逝世，衝擊辜、呂兩人聯手打造的榮星體制；然而經過二十餘年的發展，榮星早已不再是當年處處需要辜偉甫拿錢支持才能運作的合唱團。在創團的第十年，台灣經濟起飛，人民生活好轉，開始有家長主動建議合唱團向團員徵收學費，補助團務；有了進帳之後，合唱團在經濟上步入自給自足的局面，後來各界請榮星表演的邀約不斷，每次演出，邀請單位都會致贈一筆謝金，這些錢扣除掉必要成本支出，呂泉生囑人都存到合唱團的郵局戶頭裡，累積下一筆不小的資金，至辜偉甫過世時已達新台幣兩百多萬元。

辜偉甫成立這支合唱團的心願是，希望它能成為「大眾、社會、多數人的一宗大事業」，因此

▲ 呂泉生、莊永明著，《呂泉生的音樂世界——台灣兒童合唱音樂之父》，台中縣立文化中心，1994年。

▲ 從少壯之年到白髮蒼蒼，呂泉生指揮榮星兒童合唱團的手勢與身影一直不變，已成為一種典範。

在他過世後，大家遵照辜偉甫的遺願，成立榮星文教基金會，將榮星合唱團交由社會管理，成為大眾共有的文化財產，永遠經營下去。

八〇年代，榮星雖少了「辜先生」這位大家長，但遠颺的步履不曾停歇，自一九七八年首度踏上美國國土後，足跡即在美國繚繞不止：一九八〇年應美國基督教路德教會邀請、一九八四年應全美宗教廣播大會（NRB）邀請；一九八九年由在美

友人安排，呂泉生三度率領榮星合唱團赴美演唱旅行，從美東唱到美西，一遍又一遍，足跡抵達明尼亞波利斯、華盛頓、巴爾的摩、亞特蘭大、洛杉磯……等諸大城市。

在一站又一站的旅途中，呂泉生引領榮星張開歌聲的翅膀，飛越種族與政治的藩籬，朝向他心中理想的音樂大同世界邁進，完成潛藏在他心底、一個又一個五線譜構築的人生夢。

一九九一年十一月四日，榮星文教基金會在台北國父紀念館舉行「呂泉生作品演唱會」，會中宣佈呂泉生將卸下合唱團團長兼指揮職務、自榮星退休的重大消息。退休之後，呂泉生即告別台灣，赴美定居。

▲ 七十大壽，榮星文教基金會的董事長辜嚴倬雲女士（右）在中國信託大樓聯誼廳為呂泉生舉行盛大慶祝會。

▲《台灣榮星合唱團》（TAIWAN
RONG SHIEN CHORUS）（自製
CD，未公開出版）。

▼《台灣榮星兒童合唱團》（TAIWAN
RONG-SHIEN CHILDREN
CHORUS）（自製CD，未公開出
版）。

台灣榮星兒童合唱團
TAIWAN RONG SHIEN CHILDREN CHORUS

◀《難忘的歌聲》（自製CD，未公開出
版）。

▼《台灣榮星兒童合唱團TAIWAN
RONG-SHIEN CHILDREN'S
CHORUS歷年演唱會實況錄音精選
歌曲》（自製CD，未公開出版）。

◀《追憶的歌聲》（自製CD，未公開出
版）。

對呂泉生來說，「告別榮星」是他一生最難的決定，因為他後半生的音樂與創作生涯與榮星緊密相依，榮星承載他對音樂所有的想望，並付諸實現，說退休？太沉重。原先辜偉甫找他來帶榮星的時候，呂泉生也沒料想到榮星能支持這麼久，而他竟會在榮星待這麼久。想當年，台灣有誰知道兒童合唱團要怎麼帶？大家就這麼邊看邊做、邊做邊改，把榮星從牙牙學語的狀態，拉拔到丰姿綽約地走上國際舞台，揚名海內外。

　　呂泉生把他人生最崢嶸的歲月都交給了榮星，因為榮星的孩子回報給他的是等量的愛與音樂的回饋，讓呂泉生把榮星視為己出，無怨無尤。在榮星成立之前，呂泉生並不了解兒童，只把榮星當成一般合唱團看待，但經過多年與兒童共處後，始體會到兒童世界之迴異於成人世界者：純眞、可愛、沒有心機與欺瞞，讓他得以卸下數十年來對白色恐怖的重重心防，敞開心胸大聲說話，感到份外輕鬆自在。

　　他記得以前住在長春路的時候，每年春節，許多孩子來向他拜年，他先準備好禮物放在樓上櫃子裡，有大有小，讓拜年的孩子自己上樓挑一個帶走；後來隔年春節，可愛的孩子清晨五點不到就在門口守候拜年了。有的小孩從櫃子裡拿走一樣禮物，又在原位放上另一樣禮物，讓櫃子裡禮物不會因他而減少，他的老伴在整理櫃子的時候才發現，感動得流淚直說這些孩子實在太可愛了。

　　榮星傑出、乾淨、又有紀律的歌聲，承載呂泉生一生對音樂訴說不完的熱情，他後半生的歌曲幾乎都是為榮星創作的，

與其說呂泉生花費大半生的力氣灌溉榮星這座苗圃，不如說榮星就像一處桃花源，包容呂泉生所有對音樂的想望而予以實現。在榮星的世界裡，他與他們各取所需，和平共存。

從領導榮星、到從榮星退休，呂泉生在裡面服務足足滿三十五年。三十五年，呂泉生對這數字的體會特別深，他說：「你聽過，有哪一個合唱團老師帶同一個合唱團超過三十五年？聽說維也納少年合唱團裡沒人有這麼長的資歷，在木十字架少年合唱團裡也沒人待過這麼久的時間。」呂泉生在榮星創造出一個「以音樂為中心」的信念，帶領團員共築一個以音樂為綱、唱歌為緯的世界，藉藝術之名，傳遞人性中最純真的情感，以美化人生、美化世界。三十五年足以讓許許多多的新團員變成老團友，枝開葉散，在世界各地傳承呂泉生領導的「榮星」精神。

如今在美國，呂泉生細數榮星的分枝：華盛頓特區、洛杉磯地區，分別有陳淑卿（榮星教師）與顏忻忻（榮星教師，第八期團友）領導當地美國榮星兒童合唱團（Glorystar Children's Chorus），姜靜芬（第九期）在聖荷西創辦晶晶兒童合唱團（Crystal Children's Choir），鄭煥璧（榮星教師）在加州Cerritos創辦瑞聲合唱團，任樂懿（榮星教師）在加州創辦南灣兒童合唱團（South Bay Community Children's Chorus），還有無數的榮星人在世界各地參加合唱活動，推動合唱教育⋯⋯

呂泉生講到這時，你盯著他細瞧，會發現他嚴肅的臉上正掛著一抹幾乎看不見的得意微笑。

【用生命擁抱詩與樂】

　　筆者稱呼呂泉生「呂老師」，因為大家都是這麼叫他，即使我從未當過他一天的學生。

　　一九九一年來美依親之後，呂老師一直住在南加州洛杉磯，先是與師母蕭美完女士住在羅蘭崗（Roland Heights）的老人公寓，孩子們住附近，有空就去看他。自從一九九七年師母過世後，孩子們就在鄰鎮哈崗（Hacienda Heights）買下一棟房子，兒子信也（Nobu）和他一起住，照顧他；這棟房子有前

▲ 呂泉生的兩個兒子信也（右）、惠也（左），感恩節假期帶老爸到賭城拉斯維加斯舒展筋骨。

庭、後院，還有一座游泳池，讓喜歡游泳的他即使天冷不能下水時，也能透過臥房的大面觀景窗，欣賞到窗外一泓蔚藍的池水。

呂老師很喜歡朋友來訪。他的記憶力非常好，他有一個習慣，就是每晚入睡前必有段時間一人獨處，把白天發生的事情一件件回想，反覆咀嚼，他對人性細膩敏銳的體會，有不少是得自此一自省的過程；然後再將反芻的記憶依照時間的順序，逐一存放在腦部的檔案匣裡，你從任何一時間點切入問他，他都能鉅細靡遺、像播放錄音帶一樣滔滔不絕的敘述給你聽，讓許多第一次接觸他的人驚嘆不已。

他有一隻貓叫Habby，今年六歲了，陪他度過許多晨昏。這隻貓原本是孫子松穎送給阿媽的，可是師母過世後，Habby的歸屬權就自然轉移到呂老師身上，變成他的寵物。說寵物，其實貓的個性孤傲，不會跟人太親，白天呂老師做自己的事，Habby過Habby的日子；可是呂老師懂得貓性，他到華人市場買烤過的魷魚絲，每天餵Habby一點，平常信也只餵牠吃一顆顆硬硬的貓飼料，自從嚐過魷魚絲的美味後，Habby便視呂老師為知己，每天定時撒嬌，增進不少人貓之間的感情。Habby會陪呂老師聽音樂、睡覺，半夜呂老師結束一天作息要上床時，Habby便跟著他一起進入臥房，躍到床上，呂老師每天臨睡前一定要聽榮星合唱團的CD，Habby也跟著聽，直到音樂結束，才悄悄躍下，離開房間，重新變成一隻離群索居的貓。牠肯陪呂老師聽音樂的舉動，讓呂老師很窩心，多次在電話中告

訴筆者Habby這方面的慧性。

　　雖然呂老師的孩子都很孝順他，可是從師母過世後，生活上少了照顧他的伴侶，呂老師的日子自然不再像過去那麼舒服。聽說以前師母在世的時候，每天都替他打點好一日之所需，出門要穿的衣服、口袋裡該放的零用錢、三餐要在哪裡用、皮包裡今天該放什麼物件……，準備得妥妥貼貼，一年四季什麼時候該做西裝、什麼時候要製新鞋，師母也會請師傅來家為他丈量，所以呂老師從未為生活煩惱過，只要專心上課、作曲就好，根本不知道柴米油鹽是怎麼一回事。師母走了，呂老師的生活受到不小的衝擊，雖然孩子們都很照顧他，但終究不像老婆一樣，知道他哪裡冷、哪裡熱，什麼表情是什麼意

▲ 師母蕭美完女士是大家公認的賢妻良母。

思，呂老師在他的詩作《古稀之吟‧無音之歌》中寫了一首
《念老伴》，情真意切說出他現在的處境：

　　去年妻亡失一半，五十三年好老伴，

　　同甘共苦半世紀，沒她不便真難堪。

　　雖然到美國來好些年了，呂老師對過去的日子還是念念不
忘，尤其是他在榮星的時光。他從台灣搬到美國，很多東西無
法一一帶來，都放在台灣，後來天母的房子賣掉了，屋子裡滿
坑滿谷的東西也一併奉送出去，只有以前榮星的錄音帶，他視
之為瑰寶，百來捲的帶子跟著他遠渡重洋，在房間最重要的角
落落腳安身。筆者在美國訪問他的時候，住在他家裡，每天清
早都被隔壁房間傳來震天價響的《愉快的歌聲》、《不知名的
鳥兒》……叫醒，聽這些錄音帶是呂老師每日的習慣，早上起
床聽，晚上睡覺聽，下午休息時也聽，一遍又一遍，總也聽不
厭、看不煩；我想，是因為這些音樂裡面，有他一生最驕傲的
回憶吧？呂老師聽這些音樂聽得兇，所以錄音帶耗損率高，常
要翻拷，拜這幾年科技進步之賜，他陸續請人把錄音帶製成
CD，省下不少整修錄音帶的力氣與時間。

　　呂老師現在的生活，真的是退休人的一派悠閒，每天弄弄
花草、聽聽音樂、寫寫曲子、打打電話，一天時光很快就過去
了。剛退休的時候，他還有老驥伏櫪的壯志，總說要寫一部音
樂劇──《五月的斑鳩》，天知道稿子不知哪天遺失在路上，
讓他傷心欲絕。後來他埋首寫自己的回憶錄，寫了好久，可是
進入「光復」就停頓寫不下去了。兩年前他又針對榮星時期的

▲ 筆者（中）隨這位老先生到北京天壇遊玩，左為老先生的妻姪女張蕭淑真女士。

生活寫了一本《我在榮星合唱團35年》，該算他回憶錄裡的一部份才是。

回憶錄停頓的原因是老先生的感情太脆弱，日本時代以前的回憶對他來說是美好的，他願意寫；榮星時代的回憶對他來說也是美好的，所以也願意寫；至於寫不出來的部份，是因為當時的感受太複雜，回憶時內心一覺得沉重，向前的動力就自動抵銷了。這幾年他的眼力、體力一直在衰退中，即使想創作大型的作品，也不容易了。

不過呂老師至今還是保持創作的慾望，忙碌大半生的他，不習慣手上沒有事做，可是住在美國的缺點是不容易找到創作用的中文歌詞，所以他總是拜託台灣的朋友幫他留意看看，最近有沒有新作的詩集出版？如果能找到合用的詩詞，他作曲的速度不但不輸當年，精練的程度還更勝以往。

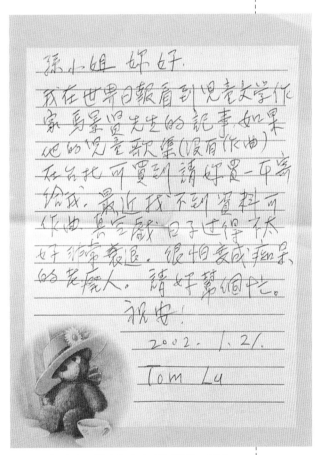

▲ 呂泉生手稿。呂泉生的小名叫阿儻，英文名叫 Tom，退休在美的缺點是不容易買到中文詩作。

這幾年，洛杉磯《世界日報》上有個專欄，接受中文現代詩投稿，成為呂老師每日必看的欄位，他陸續從這個專欄裡發現不少可愛的詩句。他搜尋創作來源的時候，目光敏銳得像個獵人，只要獵物一出現，瞬間就能決定要還是不要。但這幾年，他總感嘆說自己老了，狀況一年不如一年，還抱怨說人只要年紀一大，眼花了、手也抖了……，刻五線譜的時候，原本要畫在第二線的符頭，畫完卻跑到第二間……，不一而足，讓人聽得有些心酸。

他說，近來最大的煩惱是老友一個個都去天國報到，只剩他一人，讓他感到非常寂寞。不過最近公共電視台幫他製作專輯，遠征日本尋訪他過去的足跡，竟然找到一位NHK放送合唱團時代的同事，讓他非常高興，不斷打電話告訴親朋好友這好消息。

也許這幾年，他年紀真的是大了，原本傲人的體能因膝關節退化得嚴重，路走不遠，出門旅行的意願也節節低落，但只要有空，還是會在孩子的陪同下回台灣看看親戚、朋友。呂老師一回來，場面就熱鬧了，他過去在教育界裡服務多年，桃李滿天下，大家知道呂老師回來，口耳相傳，下榻的飯店房間裡總是訪客不斷，一大堆鶯鶯燕燕般的女學生紛紛飛來，圍繞在他身邊，老師長、老師短的，噓寒問暖，樂得他合不攏嘴。我想，寂寞是因為他內心渴望得到溫暖而反射出的感覺，其實他的周圍一直包圍許多愛他的人，跟真正寂寞的人比起來，他的人生是富足、溫暖又快樂的。

靈感的律動

飛鴻向長空

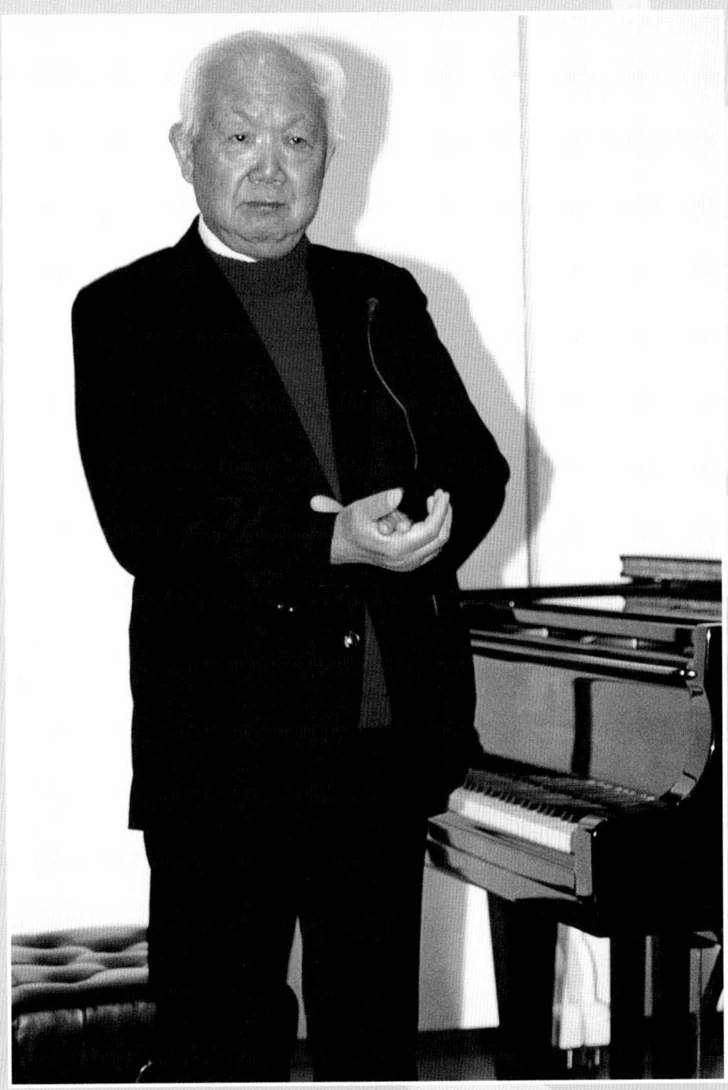

全面性的音樂家

　　呂泉生以歌謠創作聞名，但他不是科班出身的作曲家，回顧他的作曲教育背景，僅在東洋音樂學校就讀期間，曾隨成田為三（1893-1945）上過樂理、和聲等基礎理論課程。成田和呂泉生一樣，都是以歌謠創作聞名的作曲家，但當時東洋並未設有作曲科，呂泉生亦未私下隨成田研習過作曲，若說成田老師對他作曲有什麼幫助？呂泉生認為，就是在課堂上教他音樂基礎理論，尤其是和聲學一科，讓呂泉生受益匪淺。

【鋼琴、聲樂與音樂】

　　呂泉生在東洋音樂學校期間，最初是以鋼琴家為志向，後來本科二年級末，手臂因故受傷，無法再彈鋼琴，只好轉主修聲樂。轉主修的過程讓呂泉生對「音樂家」是什麼？該做什麼？有不同於以往的思考。這麼說吧，十六歲的時候，他決定一輩子要當音樂家，但當時的他，只迷惑於音樂的美好，但對於「音樂家」的真正意涵？還是懵懵懂懂，所以誤打誤撞，拉了半年小提琴卻徒勞而無功，還因此留級一年。

　　十七歲，他終於找到一條踏入音樂之門的道路——學鋼琴，這讓他欣喜若狂，不顧十七歲高齡才學琴的事實，一心想當鋼琴家。年輕的他一直以為，當名鋼琴家將是他一生義無反

顧的路，不達目的決不終止。然而二十二歲的一場意外讓他的美夢破碎，才促使他在絕望中面對現實，思考「鋼琴」、「聲樂」與「音樂」三者對自己人生的意義。

經過多方思索，他拿「鋼琴家」、「聲樂家」，與自己十六歲時單純想當一名「音樂家」的初衷做一比較。他認為，從整體來看，「音樂」是廣義的，包含了理論、創作、演奏、指揮……等各方面的技藝；而彈琴或唱歌，都只是片面的音樂技藝。一個只會彈鋼琴或會唱歌的人，是所謂的鋼琴家或聲樂家，卻還不能算是個「音樂家」。因此他認為，要當一個真正的音樂家，應該要會音樂的全部，除了唱歌、彈琴，還要會指揮、作曲……，具備完整的音樂能力，才稱得上是音樂家。

得此體悟，呂泉生終於找到一個解脫的理由，不再困擾於自己要為當不成「鋼琴家」而繼續悲傷？還是為要當「聲樂家」而心生歡喜？而是把視角拉高，以成為全面性的「音樂家」為終生職志。這個念頭的萌生，不但讓呂泉生找到自己人生

▲ 呂泉生東洋音樂學校畢業照。

註1：成田為三（1893-1945），作曲家。1917年畢業於東京音樂學校，在學期間曾隨名作曲家山田耕筰學習理論，學中發表《濱邊の歌》，聲名大噪。他的創作以歌樂為主，大正年間，與弘田龍太郎、草川信等人擔任《赤い鳥》雜誌作曲家，推動童謠創作運動而垂名日本樂壇。

的答案，也為他未來走上作曲之路，預留伏筆。

在音樂學校唸書期間的呂泉生不是全然沒有作過曲，但他塗鴉的創作嚴格說來，只是隨心所欲寫出來的旋律，欠缺作曲家縝密的理論背景及對作品全面性的思考。

呂泉生認真開始練習作歌，始於東寶聲樂隊期間（1941-1942），當時東寶會社在其所屬的日本劇場推出一種名叫「國民劇」的舞台秀，動員龐大，劇場內的成員除聲樂隊、舞踊隊、音樂隊外，尚包括編劇、作曲、製作等的各種幕後創作人才、規模之大、素質之高，在東京首屈一指，足以讓一個剛從音樂學校畢業沒多久的學生大開眼界。

呂泉生在聲樂隊的時候，與劇場作曲家若山浩一交情最好，若山的年紀長他幾歲，是日籍韓裔作曲家，雖然他在作曲界裡的人氣不旺，可是呂泉生特別喜歡他，因為若山待他有如親弟弟一般，兩人常一起外出吃飯、喝咖啡，在劇場有空，呂泉生就找他聊天、談音樂上的事情，如果若山正忙，他就到管絃樂團部去幫忙抄

▲ 對呂泉生創作理念影響深刻的東寶作曲家若山浩一。

譜，順便研讀其他作曲家配器的方法。

若山擁有豐富的劇場音樂寫作經驗，常鼓勵呂泉生不妨也練習作作曲。受到若山的鼓勵，呂泉生開始嘗試寫出架構完整的樂曲，有歌詞、有旋律、有伴奏，寫完拿給若山看，不妥的地方由若山修改完還給他；若山會向他解釋更改的理由，並告訴他什麼情況下、該怎麼作曲。這種實務性的寫作經驗呂泉生在校時從未學過，他本就對譜寫旋律有濃厚的興趣，在若山的協助下，學到不少歌樂創作的觀念，以及架構樂曲的能力。

譬如，若山告訴他：「創作歌曲，曲式的安排很重要。」若山舉「A─A'─B─A」四段體為例，說這種形式的歌曲唱起來就比其他四段體更容易被聽者接受。至於節奏該如何安排？若山也一一教他，什麼時候該用波卡、狐步……，什麼時候該插入切分音……，都必須視旋律與歌詞的情況決定，而非作曲者片面的內心衝動。這種細膩考究歌詞賦予音樂特定意義的歌樂作曲概念，對呂泉生極具啟示作用。若山還提醒他：歌曲的價值取決於旋律的好壞。他說：「如果人家不能接受你的旋律，這首曲子就沒有用了。……旋律簡單沒關係，只要人家喜歡就好。」因此呂泉生創作歌曲，首重旋律的價值，他曾引日本作曲家山田耕筰（1886-1965）的名言，闡述旋律對整首樂曲的重要性：

　　如果你寫了一首十六小節，好聽的、值得人們喜歡唱的旋律，總比你寫了幾千小節，分為幾個樂章的交響曲，來得有音樂價值。[2]

註2：呂泉生，〈民謠、藝術歌曲、流行歌〉，《自立早報》，1991年6月3日。

靈感的律動

時代的共鳴

山田耕筰（1886-1965），日本作曲家、指揮家，東京音樂學校本科聲樂部及研究科畢業，一九一○至一三年間留學德國柏林。他的樂劇、交響詩等大型作品深受華格納（R. Wagner, 1813-1883）與理查史特勞斯（R. Strauss，1864-1949）影響，曾參考華格納「總合藝術」的概念，提出更進一步「融合藝術」的理念。在歌曲創作上，一九二○年代他曾與詩人北原白秋合作，發展融合詩與音樂、尊重日語輕重音（Accent）語感的歌曲創作方式，為戰前日本樂壇的巨擘。

這段與若山相處的時光，彌補呂泉生學校教育中未能習得的作曲能力，奠定他未來創作歌樂基礎。

【《閹雞》風雲】

　　一九四二年，呂泉生回到台灣，開始與台北藝文界頻繁接觸。剛回台的呂泉生在歌樂創作上直接傾向採譜作曲，主要有幾個原因：一是採譜創作的問題，是當時台灣藝文界經常討論的話題，呂泉生是音樂家，如張文環、宋非我這些藝文界的精英，都曾和他討論過這方面的問題，呂泉生還分從張文環、宋非我口中，採集到《一隻鳥仔哮救救》與《丟丟銅仔》等民謠；而山水亭的老闆王井泉更曾直接向呂泉生表示他對民謠的

▲ 回台探親這段時間接受YMCA邀請，舉行「呂泉生獨唱會」，會後與台北音樂家合影（1942年）。前排左五起，依序為：陳泗治、呂泉生、一條慎三郎、李金土、近森一貫（YMCA主事）。

看法：王井泉認為民謠是台灣文化的特色，音樂家採集民謠，不是將它赤裸裸的演唱出來就好，必須經過加工、改良，也就是再創作的過程，才能使之成為藝術。這些來自藝文界關心、鼓勵的力量，讓呂泉生對採譜創作不敢懈怠。

二是呂泉生在東寶期間演出的國民劇，都是含有大量地方民謠的歌舞劇，自然對民謠創作懷有高度的興趣。三是他回台的翌年，皇民奉公會推出的改良劇，把傳統台灣戲劇改得面目全非，台灣籍藝文精英不滿於此，提議

▲ 《丟丟銅仔》原譜（部份），字跡相當模糊。（《台灣文藝》，3卷3號，1943年）。

組成「厚生演劇研究會」，合力演一齣屬於台灣人的戲給日本人看。呂泉生認為，既然是齣描寫台灣人生活的戲劇，音樂自然也要用台灣人的音樂，因此呂泉生密集到永樂市場向民間藝人採譜。戰後呂泉生因電台工作忙碌，而他帶的合唱團又經常需要演出用的新曲目，呂泉生遂以過去這些採集來的民謠一首一首編成新曲發表，成為他發表改編民謠的高峰期。

之後，呂泉生採集民謠的腳步停頓下來，一方面是受到戰爭的影響，另一方面是一九四四年後他個人工作太忙，只偶而

在電台工作、或外出旅行時，聽見有人哼唱新鮮的民謠，才順便紀錄下來。不過隨大環境改變，讓呂泉生發覺民謠雖然珍貴，卻已隨時代變遷，在庶民生活中式微，而北京話的國語崛起，取代日語、台語，儼然成為台灣民眾日常生活的最主要語言，這是時勢之所趨，無可避免；可是社會上中文歌曲的數量卻嚴重不足，迫切需要作曲家創作新曲。體察社會之所需，再執著於民謠採集，可說已不合時宜，乃決定將重心放到中文歌曲上，譜寫大多數人需要的歌曲。

呂泉生的父親過世前，曾淡淡對他說：「你走你的路，也是不錯的。」算是原諒了兒子執意要學音樂這件事。十一月，他處理完父親的後事便來到台北，先前數月在台停留期間，呂泉生已挾「帝都」歌手之威名，在台北文化界裡立下名號，不僅台灣人以他為榮，連平日趾高氣昂的日籍音樂家都很看重他，台北放送局亦數度請他去局裡「放送」（獨唱廣播），是內地音樂家才有的殊榮。

一九四三年春，台灣文人聚會的場所──山水亭裡照例聚集大批關心台灣文化前途的青年，討論台灣演劇協會推動的「改良戲」，竟然要傳統戲曲藝人在舞台上改穿現代服、說日本語，簡直是不倫不類；大家對此都頗表不以為然，於是號召台籍藝文菁英，決定公演的劇目是《閹雞》、《高砂

音樂小辭典

【 採譜 】

採譜是民族音樂學的研究工作，乃研究者將欲紀錄的原始聲音以視覺符號來表示的過程。這視覺符號可以是五線譜、圖譜，或其他的書面紀錄方式。

館》、《地熱》和《從山上看見的街市燈火》。呂泉生原被分派到作曲、配樂、及指揮樂團的工作，但如要為四部劇全部配樂，份量實在太多，所以只為其中《閹雞》配樂。

《閹雞》劇本原是張文環發表於一九四二年夏季號《台灣文學》上的同名小說，林搏秋將之改編為劇本上演。劇情是描述在一九一八年，台灣南部的某個小鎮上有一家以「閹雞」為號召的老字號藥舖——福全藥房，主人鄭三桂生性苛薄吝嗇，加上西藥房如雨後春筍般增加，終致福全藥房的生意逐漸沒落。當鄭三桂聽說鐵路將延伸到遠親林清標家土地上蓋車站的消息後，遂動了以藥房和清標交換土地的念頭。清標素來就有經營藥房的心願，於是兩家就在媒人婆阿金婆的撮合下順利地完成土地與藥房的交易，同時也決定了三桂兒子阿勇和清標女兒月里的婚事。

換了土地之後，鐵路延伸的希望卻越來越渺茫，三桂終致抑鬱成疾。此時藥房在清標的經營下業務蒸蒸日

▲ 《閹雞》演出之宣傳海報（1943年）。
　（照片提供：石婉舜小姐）

▲ 《閹雞》第一幕。（照片提供：石婉舜小姐）

註3： 石婉舜，〈一九四
三年台灣「厚生演
劇研究會」研
究〉，國立台灣大
學戲劇學系碩士論
文，2002年，頁
63。

註4： 同註3，頁55。

上，面對回娘家求援的月里，娘家父兄卻變得勢利甚且拒伸援
手；不久後，三桂終告藥石罔聞。阿勇原本以爲父親身後留有
財產，結果卻發現積債累累，債主紛紛上門逼債，炎涼世態
下，阿勇提前辭職以退職金還債；不幸的事接踵而至，阿勇的
母親也在此時辭世，整個破敗的鄭家就只剩下阿勇與月里夫婦
倆相依爲命。鄰居阿蕃婆鍥而不捨地遊說月里出賣肉體換取錢
財，遭月里斥逐；另方面，阿勇因無法承受家道中落而顯得灰
心喪志；某日，村公所職員帶來好消息要重新聘請阿勇上班。
最後一場戲結束在感染瘧疾的阿勇在月里的鼓舞下改變灰心喪
志的態度，他說：「我一定會站起來。人的命運就要靠自己來
改變的，我會堅強地改變它。」[3]

　　呂泉生對爲其中《閹雞》配樂十分用心，林搏秋形容呂泉

生爲公演設計音樂的辛勞付出，「因睡眠不足眼睛總充滿血絲」等等。而呂泉生亦曾在〈排演場的雜音〉一文中幽了導演與自己一默，他說：「喂，導演，不要老是欺負我取笑我胖。我到底要作多少曲子你們才會滿意呢？你們是何等奢侈地吃著蝌蚪（指音符）的傢伙呀！我會瘦掉的啦。」[4]

第一次爲戲劇配樂，呂泉生的做法是這樣：首先，林搏秋要求入席時加上一段鬧場的音樂，他決定用羅西尼（G. A. Rossini, 1782-1868）《威廉泰爾》（Wilhelm Tell, 1829年）的〈序曲〉；接著，開幕的音樂是用《百家春》，換幕時由合唱團演唱由他採集、改編的台灣民謠《六月田水》、《一隻鳥仔哮救救》與《丟丟銅仔》，劇情進行中則適度穿插他自編的管絃樂旋律。

結果九月三日第一天公演換幕時，《六月田水》唱到一半竟發生停電的意外，台下許多觀眾正聽在興頭上，紛紛要求合唱團不要停止演唱。沒多久供電恢復了，戲繼續演，到再度換幕

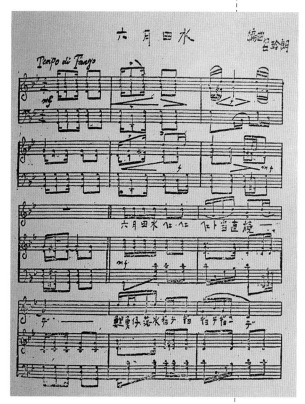

▲ 《六月田水》原譜（部份）。（《台灣文藝》，3卷1號，1943年）

唱《丟丟銅仔》時，親切的民謠旋律將全場氣氛提到最高點。散會後，意猶未盡的觀眾口中猶不斷哼著《丟丟銅仔》的歌詞，「丟」過來、「丟」過去，這景象觸動了執政者內部最最敏感的同化神經。

皇民化政策原是極重視地方文化、提倡地方文化的，但基於「內台一同」的立場，此時期統治者對殖民地的台灣人，只容許他們在公開的場合說日語、唱日語，如果台灣民謠的歌詞改成日文，要公開演唱就不是問題了，否則就只能演奏、不能演唱。這次厚生演劇研究會竟公然在台上用台語唱台灣民謠，當然引起統治者高度的矚目，呂泉生深夜還沒回到家，北署的高等刑事井上就在門口等他了。

由於日本警方的干涉，第二天起，《閹雞》取消換幕時的合唱，改由一位名叫「銘月」的女孩上台演唱日本歌，才算通過檢查。呂泉生說，他不是不知道當時台灣民謠只能演奏、不能演唱的規定，只是不服氣他在「日劇」期間，全日本沒有不能唱的民謠、不能說的方言，何獨台灣統治者單獨禁止台灣人在台灣唱台灣民謠？

呂泉生歌謠被禁的委屈，終於獲得東京方面的認同。一九四五年五月，放送局的富田嘉明部長接到東京來的公文，指示要台北放送局提供有地方特色的節目給NHK電台廣播，這時大家都「疏開」到鄉下躲空襲去了，兵荒馬亂中，富田也沒有更好的主意，他找來呂泉生，由呂泉生提議唱《六月田水》、《丟丟銅仔》與《一隻鳥仔哮救救》等台灣民謠以因應，富田

即令呂泉生速速找來合唱團員錄音，向東京交差。這份錄音在東京受到格外好評，同時也躍上台北放送局頻道公開播放，證明先前日警取締台灣民謠，實乃自我政策上的矛盾。

【《一〇一世界名歌集》】

一九五一年暑假前，游彌堅打電話到靜修女中找呂泉生，想請他到「小陶芳」吃飯。見面時，游彌堅問呂泉生：「台灣都已經光復好幾年了，可是中、小學學生上音樂課還是無歌可唱，你們這些學音樂的丟不丟臉啊？」當時游彌堅是台灣省教育會理事長，年輕時當過公學校教師，對教育有份責任感，可呂泉生卻不這麼想，他有話直說，認為自己是音樂家，學生上課有沒有歌可唱是教育官員的責任，不是他音樂家的責任。幾句話說得游彌堅臉上無光。

游彌堅接著才說出找呂泉生出來吃飯的目的，是希望在目前一片中文音樂教材荒的時候，省教育會能擔起重責，提供中、小學老師教音樂時有份可供參考的歌本，因此想仿效美國 *"One Hundred and One Best Songs"*，出一本中文版的《一〇一世界名歌集》，委託呂泉生主持此書的翻譯、編訂事宜。

這計畫最重要的關鍵，不在於如何將外文歌詞譯成中文，而在於：第一，主持人要有廣闊的視野，選出一百零一首有益學童身心、值得推薦給中小學生習唱的世界名歌；第二，外文歌詞可委託文學家代為翻譯，但主持人須能充份掌握譯詞與旋律配合的情形，歌詞演唱時才不覺得拗口。說起來，這是份音

時代的共鳴

蕭而化(1906-1985)，江西萍鄉人，一九三七年畢業於日本東京（上野）音樂學校作曲科，來台前曾任福建音專教務主任、校長等職。一九四五年秋來台，任台灣省立師範學院（今國立台灣師範大學）音樂系主任、教授，是戰後台灣音樂界理論作曲第一人，一九七二年退休。蕭而化的興趣廣泛，除藝術外，對文學、史地、科學亦有研究。在音樂上，蕭氏以作曲理論見長，但對音樂史、現代音樂等議題亦有涉獵，在戰後台灣音樂界，蕭而化是少數能以作曲家、理論家眼光持平談論音樂大勢的人。他著作等身，是一學者型的音樂家。

樂家的工作，游彌堅知道呂泉生當時在靜修女中教書，工作穩定，因此以「在中學教音樂，人人都會」的理由，說服他來省教育會；而且游彌堅開出來的條件相當優厚：上午來教育會上班半天，下午可自由出外兼課，月薪四百五十元。

呂泉生接下這工作，第一件事就是回台中神岡的老家，翻出他讀書時從日本帶回來的名曲歌本，逐一選出適當的歌曲，請人翻譯。接著是翻譯的問題，呂泉生選出的一百零一首歌曲，主要為英、德民謠，因此由省教育會找來文學造詣極佳的師範學院音樂系教授蕭而化（1906-1985），由蕭邀請周學普、張易、劉延芳、海舟、王飛立等德、英文譯者數人，共同分擔翻譯歌詞的任務；最後再將譯詞交給呂泉生，由呂泉生進行詞曲嵌合。

詞曲嵌合的工作類似填詞，只是此時已有歌詞，看要如何把這些歌詞一一填入固定的旋律中。如果歌詞的字數對不上旋律的節奏，或者詞句的輕重音（Intonation）與旋律的節拍不符，就必須在不損及原意的情況下，增減字數或挪動字句以契合音節，唱起來才會順口好聽。有時會碰到怎麼挪、怎麼動，字句與旋律都搭不上線的情形，這時就需要譯者的協助，通常是開會時呂泉生把問題提出來，和周學普先生一同討論。

《一○一世界名歌集》在籌備半年之後——一九五二年三月正式付梓出版，甫一推出，就造成各方搶購的熱潮，曾有多次再版的紀錄。因為國民政府來台後，禁止老師在學校教學童唱日語歌，教育單位又來不及編纂新的國語唱歌教材，市面上

▲ 中文版《一○一世界名歌集》封面。（原書由
李卿雲教授收藏，賴美鈴教授提供照片）

也買不到中文學堂歌本，以致學校老師不是把日本歌謠套上國語歌詞來教，就是技窮之下乾脆不上音樂課。《一○一世界名歌集》的出版，正好解決老師上音樂課沒教材可用的窘境，因此銷路暢旺，連東南亞國家都曾見盜版，證明此書流傳廣遠。

當時頗為著名的《新選歌謠》，在第三期〈音樂通訊〉中做了這樣的報導：

《一○一世界名歌集》是全世界最流行的歌集，所選歌曲均屬各國古今大作曲家的不朽名作，膾炙人口已非一日。其歌詞業已譯成數十種文字，成為舉世人人愛唱之歌，惟一缺憾是中文譯詞尚付闕如，這一本偉大音樂家的傑作，我國一般音樂愛好者便很少去習唱和欣賞。本會有鑒及此，經邀請蕭而化等多位教授合作全部譯成中文，費時半年，近已出版，誠為我國音樂界一件大事。該書全部用照相版精印，裝璜華美，每本僅

售新台幣十二元，愛好音樂者允宜人手一冊。

【編纂音樂課本】

《一○一世界名歌集》完成出版後，游彌堅又出點子給呂泉生做；呂泉生對自己擅長的音樂尤為自負，只要有人欣賞他，他就樂與人共享自己內心的音樂世界。游彌堅續派給他的事有兩項：一是編纂國校音樂課本，一是主編《新選歌謠》月刊。游彌堅有鑒於「唱歌」這種不在升學考試範圍內的科目，尤不被一般教育者看重，以致光復至今，小學生連本可用的音樂課本都沒有；他認為當務之急，是以民間單位的力量，協助政府製作歌謠、編輯音樂教科書，腳步失序的音樂教育才有可能步上正軌。

省教育會版的

▲ 台灣省教育會發行之教育部審定《國民學校音樂課本》，全書由呂泉生一人編輯完成（1957年）。（原書由孫思崧老師收藏，賴美鈴教授提供照片）

《國民學校音樂課本》在一九五六年完成出版，這中間除了游
彌堅偶而會給呂泉生一點意見外，從頭到尾都由呂泉生一人獨
力完成，包括教科內容的撰寫、教材歌曲的創作。呂泉生認
為，音樂課本的內容對學生未來身心有無遠弗屆的影響，所以
堅持歌詞的內容一定要有益於兒童品德，切不可讓他們唱詞意
低級的流行歌，才能達到陶冶學生性靈的功效。所以編輯時，
呂泉生特重幾個方向：一，課本的歌曲必須與其他教科內容產
生連結；二，教科書的歌曲必須配合時令來編排。

　　例如一年級《國語課本》有一課〈狼和小孩〉，課文採對
話方式，讀起來淺顯生動。呂泉生非常喜歡，就用〈狼和小孩〉

▲ 《狼和小孩》樂譜，原發表在1957年3月號的《新選歌謠》月刊上。

作一首歌，這樣，老師在國語課教小朋友讀〈狼和小孩〉時，音樂課裡也有相呼應的歌曲，輔助學童學習課文，並加深他們對中心德目「勇敢」的印象，達到教科內容連結的目的。另外，配合時令教學有教育上深遠的考慮，像升旗要唱《國歌》、《國旗歌》，節日要唱節日歌，連課程的編排都要考慮時令的因素。好比他有一首歌名叫《划船》，在課程編排上就安排在第二學期六月來教，理由是「划船」為天熱才有的活動，如果安排在冬季教學，兒童就無法聯想到大熱天嬉水的清涼效果了。

呂泉生的觀念一逕如此——音樂教育必須配合知能與生活，才能確實達到陶冶兒童身心的目的。他把自己編纂教科書的種種考慮說給游彌堅聽，游彌堅非常贊成，一直說：「這樣好，這樣好。」

呂泉生原本希望連同「教師手冊」一起編纂、出版，但省教育會預算不足，才決定以巡迴講習的方式代替編纂教師手冊。從一九五五至一九五七年，呂泉生與李志傳[5]（1903-1975）獲聘為省教育會技能科音樂講師，每月撥出二、三日，巡迴各縣市講習音樂科教學。他們每到一地，先由縣政府集中縣內音樂老師，再分批對低、中、高年級老師講授音樂理論與教育技巧，前後花近兩年時間才講習完畢。

爾後有人再邀呂泉生一起合作，另編一套音樂教科書送審，但呂泉生認為同一件事做一次就夠，瀟灑拒絕對方的好意。

註5：李志傳（1903-1975），1931年畢業於日本帝國音樂學校，在校期間以發表專文〈六線式記譜法〉，獲留校任教資格。1933年返台，曾任台南師範、屏東高女音樂教師，1959年北上任淡江中學代理校長，1950年出任台北市教育局督學，至1969年退休。

【《新選歌謠》徵曲活動】

　　《新選歌謠》是一套發行九十九期的月刊，從一九五二年一月發行第一期，一九六〇年三月發行最後一期，定期出版，中間毫無間斷。有人問呂泉生為什麼不繼續再做這工作？呂泉生說，因為游彌堅省教育會理事長的任期已到，他認為自己是游彌堅找來省教育會做事的人，理當與游彌堅同進退，決定放下這份自己一手做起的刊物，看新任的理事長要不要找人接手辦下去，他不再置喙。游彌堅本希望他能做滿第一百期，但呂泉生認為，「九十九」是個意義更好的數字，他舉貝多芬、舒伯特的交響曲都只寫到No.9為例，認為凡事不需做到滿，「九十九」正好象徵Unfinished（未完成）。

　　《新選歌謠》對台灣教育的影響深遠重要，這是戰後台灣規模最大、持續力最久的徵曲活動，如果翻譯《一〇一世界名

▲《新選歌謠》月刊創刊號封面。（原書由楊兆禎教授收藏，賴美鈴教授提供照片）

歌集》的目的在引進外國名曲，供國人習唱與欣賞；發行《新選歌謠》的目的，就在補白西樂傳入台灣以來，中文歌謠創作的空缺。

呂泉生曾概括描述這本刊物：

一九五二年正月，台灣省教育會特為新歌曲開會，結果出版月刊發表新選歌謠，洪炎秋、楊雲萍、盧雲生、王毓騵等先生為審查歌詞的委員，聘戴粹倫、蕭而化、張錦鴻、李金土、李志傳和我為歌曲的審查委員。這本新選歌謠一共十頁，內容有：封面、封底是刊登每個月在台灣省內發生的音樂界的通訊；八頁樂譜，有兒童歌曲、合唱歌曲、民謠等，都是新作品或是新編曲的，不管新舊一律有中文歌詞。每期印一萬二千本，每本定價新台幣二元，大都分銷到全省各地方的小學、初中、高中，一部份零售給一般愛好歌唱的人士。[6]

今天許多膾炙人口的童謠都脫胎自《新選歌謠》，如由陳石松作曲，呂泉生編曲的《童謠》：

三輪車，跑得快，上面坐個老太太，

要五毛，給一塊，你說奇怪不奇怪！

發表後讀者意猶未盡，來函要求再添歌詞，滿懷童心的游彌堅自己加了一段，獲得熱烈掌聲：

小猴子，吱吱叫，肚子餓得不能跳，

給香蕉，還不要，你說好笑不好笑。

還有周伯陽詞、蘇春濤曲的《花園的洋娃娃》、白景山的《只要我長大》、楊兆禎的《農家好》、曾辛得的《耕農歌》、呂泉

註 6：呂泉生，〈合唱在台灣〉（四）。

生的《搖啊搖》……，都是經《新選歌謠》發表後，廣泛流傳的兒歌名曲。

《新選歌謠》徵曲過程由呂泉生主導，每月二十日左右在省教育會辦公室召開審查會，由審查委員就收到的稿件，分詞、曲兩部份一一評審。如果曲尚可，詞欠佳，就請歌詞審查員修改；如果詞很好，曲不行，就由歌曲審查員修改。入選的歌曲可獲得詞、曲各四十元的報酬，如詞、曲任何一方經審查員修正過，則酌扣十元稿酬。有時一個月收到十幾件投稿，但評審後一件也沒通過的情形也有；這時，呂泉生就要以自己的作品投稿應急。呂泉生在九十九期《新選歌謠》中，共用過七個筆名：田舍翁、白水生、起立、居然、鐵生、長風、明秋；呂泉生用這麼多筆名，是不希望讀者以為這份刊物是專為「呂泉生」辦的，因為，總不能真的讓月刊開天窗吧？

《新選歌謠》吸引不少酷愛音樂的年輕人寫歌投稿，郭芝苑、廖年賦、林福裕、楊兆禎、張邦彥，這些曾在音樂界響噹噹的人物，過去可都是《新選歌謠》裡的初生之犢，見證《新選歌謠》時代性的教育功能。

古典詩詞的迷戀

　　在從民謠創作過渡到中文歌曲創作之前，呂泉生也曾有過徬徨、猶豫，身為音樂家的他，要如何在動盪的時代裡為自己的音樂生命找一個安身立命的處所？面對這樣一個他不熟悉的中國政府，呂泉生也曾像其他許多受日本教育成長的台籍知識份子一樣，有過不如回日本去的衝動，但吸引他留下來的原因相當出人意表，竟然是為了中國古典詩詞。

【迷人的聲音】

　　如果從呂泉生歌樂作家的身份去設想，這答案就不難理解，因為他對歌謠作曲向來極為關心，念茲在茲，就是不斷尋覓適當的作曲歌詞，創作土地上人民要唱的歌曲，才是他身為作曲家的目的。中文國語時代來臨後，呂泉生因對以中文詩詞作歌懷抱極大的憧憬，所以定得下心來在台灣完成此一夢想。

　　呂泉生著迷於音樂藝術的過程似乎像天雷勾動地火一樣，次次都極富戲劇性，他單聽一次管絃樂演出，就可以決定自己一生要當音樂家；第一次聽人家朗誦中國古典詩詞，就被詩詞美好的聲韻所迷戀，決心要為中文詩詞作樂。這過程說起來頗為有趣，第一次朗誦中文詩詞給呂泉生聽的不是別人，正是他台中一中學弟、也是好友的辜偉甫。一九四三年有一天辜偉甫

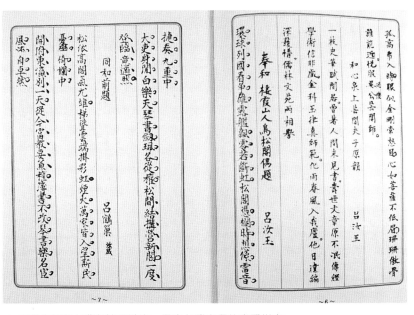

▲ 呂泉生的祖父輩都擅長詩文，是中台灣有名的書香世家。

靈感的律動

來找他，請他去聽南管音樂，這次音樂會的聽眾不多，除了他們之外，還有文教局的官員與皇民奉公會的代表，尤其皇民奉公會代表對南管音樂持負面意見，認為這種慢吞吞的音樂是老人家無用處的古董，對本島青年追求新時代、新文化有負面影響。在撻伐聲中，呂泉生起身為南管仗義執言，引他老師田邊尚雄[1]（1883-1984）的研究，拿南管音樂與日本雅樂相提並論，讓與會的文教局官員、皇民奉公會代表了解到，南管不是中國老人家無用處的古董，而是優雅的中國文人音樂，化解掉官方內部要求限制南管音樂的聲浪。

為答謝呂泉生的幫忙，辜偉甫邀他週末到鹿港作客。在辜家豪宅裡，辜偉甫興起，吟一首唐詩給他聽，辜家與日本關係

註1：田邊尚雄（1883-1984），日本著名音樂學者，著重以科學方法研究日本傳統音樂。研究範圍包括日本音樂、樂器，乃至音樂史，同時也是日本比較音樂學、比較樂器學與東洋音樂文化史之研究先驅。

雖然密切，可是對子弟教育，還是相當重視中國傳統的教育知識。辜偉甫用台語吟詩的腔調，吟誦李白的《將進酒》：

君不見黃河之水天上來，奔流到海不復回？

君不見高堂明鏡悲白髮，朝如青絲暮成雪……

聲韻抑揚頓挫，是呂泉生第一次「耳聞」中國詩詞大珠小珠落玉盤似的聲韻，讓他一來震驚，一來著迷，不期然對中國詩詞產生濃厚的興趣。其實神岡呂家過去是中台灣有名的書香大戶，但日本領台時，呂汝玉太快放棄家族的傳統，廢書院、棄藏經閣，在呂泉生成長的年代，只聽過親戚相互比較誰家的孩子考上中學校、誰家的孩子讀醫科、誰家的孩子又送去日本留學……，家族教育的重心完全轉移到象徵近代文明的日本教育上面。

發現中國古典詩詞的美好後，呂泉生心裡留了一個期待：有天，他一定要把這些迷人的聲音譜成歌曲。戰後漸有中國典籍傳入台灣，一日他到書店，發現架上有本《唐詩三百首》，如獲至寶般買回家，慢慢一首首地研讀。呂泉生說，當時若不是發現中國古典詩詞的美好，在當時政治環境下，實在沒有勇氣繼續留在台灣。

一九五○、六○年代，詩詞作曲成為呂泉生繼民謠題材之後歌樂創作的重心，他選擇優美動人的詩詞作歌，那些散發如蘭花般淡雅香味的感情的詩句，瞬間就能擄獲人心，一直是呂泉生夢寐以求的創作題材。

中國有句成語：「靡靡之音」，呂泉生可不贊同。他認為

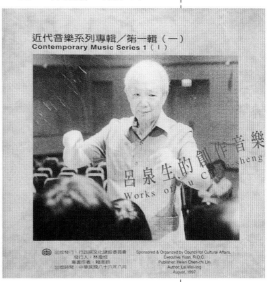

▲ 《愛的音符——呂泉生先生專輯》，台中縣立
文化中心，1989年。

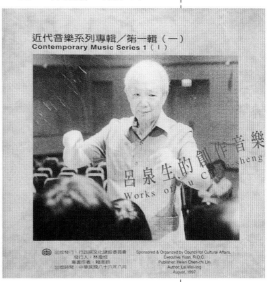

▼ 《近代音樂系列專輯／第一
輯——呂泉生的創作音樂》
CD。（文建會，1997年）

▲ 《你是我心目中的紅色薔薇
——台灣作曲家呂泉生教授
聲樂作品》CD。（AVATAR
AV-70198-2，1999）

從詞、曲兩者的性質來看，天底下
只有劣等的歌詞，沒有劣等的曲
調，所謂「靡靡之音」是因為歌詞
淫猥放蕩，而曲調本身是無罪的，
只要能重新配上歌詞，歌曲即能改
頭換面，變成另一種面貌。

呂泉生挑詞作曲有幾個原則，
一是殺伐之氣太重的歌詞他不作。
他堅持音樂是藝術，藝術的目的在
於陶冶人心、涵泳人性，如果詞意
不正，藝術的目的就無法達成，如

▲ 大熱天，汗衫短褲，呂泉生在家愉快地寫譜。

果一首歌曲裡面到處都是「殺！殺！」聲，唱歌的人無形中就被教育得凶殘；但如果歌詞的立意優美，唱歌的人心中受到感召，便能達到潛移默化的效果。

第二個原則是歌詞的字數不能太多。呂泉生認為，歌謠不同於器樂曲，以眾人皆能琅琅上口最重要，所以歌詞的字數必須適合一般人記憶的長度，最好不要超過百字，在簡短的歌詞中完整呈現意境，就算是合乎標準的歌詞了。曾經有位高官拿自己寫的詞來，要呂泉生譜曲，呂泉生一看：「敵人殺我們一千，我們殺敵人一萬；敵人殺我們一萬，我們殺敵人十萬。反共！反共！反共！……」嚇得他幾乎看不下去。他說，這種血流成河、殺紅了眼的歌詞，要怎麼作曲呢？而且從頭到尾把字數算一算，將近三百，他當場就問對方：「這麼長的歌詞你背得出來嗎？」就算勉強把曲子譜出來，冗長的歌詞不容易記住，怎會有人愛唱呢？沒人愛唱的歌曲，你寫它作什麼？當場

就把對方給得罪了。

他常舉白景山寫《只要我長大》的例子，告訴人家什麼樣的歌曲，才是有價值的歌曲。他說，半個世紀前，國民政府第一次向社會大眾徵集愛國歌，他身為評審之一，審歌的時候發現，投稿者好像都跟共產黨有不共戴天的仇恨似的，只有白景山投稿的《只要我長大》，淺顯易唱。因為這是首小歌，其他評審都給不到六十的分數，獨獨呂泉生給九十五分，總幹事馬星野問他理由何在？呂泉生說：「歌詞平易，歌曲簡潔而不俗，任何階層的家庭成員都可以唱，而且會喜歡……。」[2]因為有呂泉生力挺，這首曲子勉強被其他評審接受，躋身入選名單之中；但隨時間的發展，《只要我長大》以其簡潔通俗的特性，成為今天兒童成長過程中不可或缺的童謠。

▲ 呂泉生的歌曲在電視頻道上播放。

註2：呂泉生，〈只要我長大〉，《自立早報》，1990年11月25日。

▲ 呂泉生（右四）參加許常惠發起「製樂小集」第二次發表會（1962年3月27日）。

【言文一致法則】

　　呂泉生創作旋律的方法是，當他決定好歌詞要作曲的時候，就開始認真唸歌詞，一句一句唸，唸完一遍再一遍，直唸到旋律出來為止。旋律為什麼會出來呢？因為每種語文都有它各自的聲調（Intonation），如中文有四聲，台語有七聲（一說八聲），只要有聲調的存在，字音與字音間就有高低的分別，只要順著字句聲調的高低唸到熟透，自然就能找出語韻的節奏，以及旋律進行的方向，再依照這方向譜曲，創作出來的曲

調就容易上口，聽者也不致因作曲者錯誤的聲調安排，誤會了詞意。

如在他的名曲《阮若打開心內的門窗》中，有句：「望你永遠在阮心內」，這是首台語歌，所以創作時是以台語聲調為考慮，呂泉生在「永遠」兩字上用了一個臨時降記號，讓前面的「你」與接下來的「永」，兩音之間形成一個小三度的音程，而非正常關係中的大三度；這麼做不但造成歌曲瞬間色彩的變化，也拉近兩個相似音調的距離，貼合旋律與聲調的關係。

▲ 《搖嬰仔歌》歌詞原作蕭安居牧師（1874-1964）是呂泉生的丈人。

更進一步，旋律與聲調的關係底定後，就要考慮歌詞與音樂的安排。如在《搖嬰仔歌》（蕭安居、盧雲生詞）中，他安排音樂（鋼琴伴奏）一開始就是個速度拉長一倍的哈巴內拉（Habanera）舞曲節奏，而且讓這個節奏貫穿全曲。呂泉生說，這音型不是象徵舞曲，而是隱喻母親

▲ 《搖嬰仔歌》手稿。

在一旁輕推嬰兒的搖籃、搖籃輕輕晃動的樣子，所以彈伴奏的人左手不能彈得太重，必須想像有個嬰兒睡在搖籃裡，用一種不會吵醒嬰兒的力度輕輕彈奏，才能讓聽眾不知不覺，從頭到尾沉醉在溫馨的意象裡，這就是他設計此音型的本意。

這種將歌詞聲調、音樂旋律與音樂意義三者關係緊密扣在一起的創作方式，能將詞、曲凝鍊成一體，感人的力量也由此產生，是呂泉生作曲時的重點。這種創作風格，日本有個特定的名詞，叫「言文一致」。「言」是指聲韻、語詞，

音樂小辭典

【 言文一致 】

作曲家在創作歌曲時，需考慮歌詞輕重音與詩的韻律、節奏間的關係，使彼此若合符節，是謂「言文一致」；這是明治以來，日本歌曲界盛行的一種創作風格。

「文」是指文本，是明治時期以來日本音樂界裡極盛行的一種歌曲創作美學，呂泉生可說是承襲這種風格，並在個人創作中發揮得淋漓盡致的作曲家。

多年來，在呂泉生的創作過程中，當他絞盡腦汁完成一首新歌的時候，一定先讓妻子美完第一個看過、彈過。美完出身基督教牧師家庭，從小就學風琴、鋼琴，曾在台南長榮女中、淡水高女教過音樂，視譜能力非常好；當呂泉生完成新曲，想聽聽音樂的效果時，就拜託她幫忙。她精熟呂泉生的每一首歌曲、每一段旋律，呂泉生不但要聽她彈的音樂，還要觀察她的表情，只要美完彈琴的神情略為遲疑，說出「這段跟××曲子有點像」的感想，呂泉生就把稿子撕毀，丟到垃圾桶重新再

▲ 不管在音樂或人生上，妻子美完都是呂泉生完美的伴侶。

寫，因為他嚴格要求自己的每一首作品，旋律都必須是獨一無二的，而美完正為他的創作扮演把關者的角色；在逾半個世紀的相處中，呂夫人不但是他人生的伴侶，更是他音樂上無可替代的知音。

【追求真實的風格】

呂泉生評判樂曲的標準，在於寫出來的音樂是否像、是否真？如果不像、不真，就失去創作的價值。他曾模仿大陸民謠寫《青海青》，找出大陸民謠音階、旋律上的特點，模仿創作，似真的程度讓很多不明所以的人以為是大陸流傳來台的民謠，實際上是呂泉生創作的音樂。呂泉生不喜歡抽象音樂，他

▲ 呂泉生立於古董級的蒸氣式火車頭旁，說《丟丟銅仔》時代的火車就是這種。

註3：頑固音（Ostinato）指不斷出現的反覆音型。

靈感的律動

強調創作要有具體的描摹對象，並且應該寫什麼、像什麼，才算是好作品。

「寫什麼，像什麼」的前提，首要了解創作內容的「時代性」與「空間性」。「時代性」是指音樂中的場景要吻合故事的年代背景，「空間性」是指故事地點的景物必須吻合當地的情形。好比杵音是日月潭邵族原住民才有的音樂，就不能用它來描寫阿里山的歌舞；同樣，七〇年代的喇叭褲也不能出現在三〇年代的舞台上。

呂泉生對創作音樂的要求如此，對改編、演出的要求亦是如此。在「創作→演出」或「創作→改編→演出」的實踐過程中，嚴格要求每一環節都要尊重原創者的精神，才不會損及創作者本意，破壞了音樂。以他的《丟丟銅仔》為例，在創作上，他考證宜蘭民謠《丟丟銅仔》的背景，發現《丟丟銅仔》是日本領台時期出現在宜蘭鐵道附近的民謠，「丟銅仔」原本是一種賭博的工具，他將二者聯想在一起，設計出音樂的故事情境如下：在鐵道修築工地，工人上、下午辛勤地工作，中午午休時有人睡覺、有人玩「丟銅仔」……，故事的前後穿插一名襯景的乞丐，早晨敲著竹筒鼓出門，傍晚拖著疲累的身軀回來……。

過去許多合唱團演唱《丟丟銅仔》時，把低音部「碰、乞、碰、乞」頑固音解釋成蒸氣火車發動的聲

音樂小辭典

【竹筒鼓】

竹筒鼓是以竹子為鼓身，取其中間一段無節的部份，一端覆上雞肶皮，一端保持透空，這樣用手指或手掌敲打皮面時，就會發出「碰」、「乞」的聲音，是早期本地乞丐討飯時用的樂器。

▼ 洛城愛樂合唱團主辦「呂泉生
作品之夜」節目單（1987
年）。

◀ 台中縣音樂家系列發表會「呂泉生音樂作
品演唱會」節目單（1989年）。

音，唱得又重又大聲。他說，他
創作的這首歌曲中，「碰、乞、
碰、乞」不是火車行走的聲音，
而是乞丐討飯敲竹筒鼓的聲音。
如果演出者或編曲者不能了解音
樂上的含意，就有可能產生誤
解，破壞樂曲。因此他呼籲：

每首歌都來自生活，有時代
性和空間性的生活方式，歌曲的
伴奏更是重要，編曲者於配器時
應該慎重，不要胡亂地配，破壞
歌曲原本的姿態，以致牛頭不對
馬嘴，編成聽眾無法領受的歌
曲。

不過在音樂詮釋上，呂泉生
也有他寬容的地方，他允許演唱
者在合理的範圍內發揮自己的想
像，自行詮釋。如在《杯底不可
飼金魚》中，有一段模仿口語的
「哈哈哈……」笑聲，呂泉生的本
意是飲者微醺時發出的愉悅笑

▲ 「蓬萊歌樂鄉土情——呂泉生歌謠作品演唱會」宣傳單（1991年）。

註4： 呂泉生,〈民謠、
藝術歌曲、流行
歌〉,《自立早
報》,1991年6月3
日。

古典詩詞的迷戀　　**139**

聲，曾有演唱者以狂笑來詮釋，他認為，如果有人喝的是啤酒，有人喝的是高粱，酒精的濃度不一，酒醉的程度也不一，所以輕笑、大笑、狂笑……，都是本曲詮釋上的彈性。總之，不論處於任何角色：作曲者、演唱者、改編者，都必須忠實於歌曲最初的風貌，才算是成功的音樂表現。

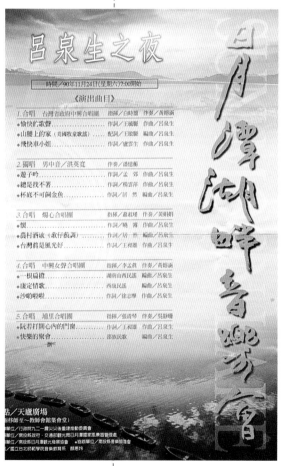

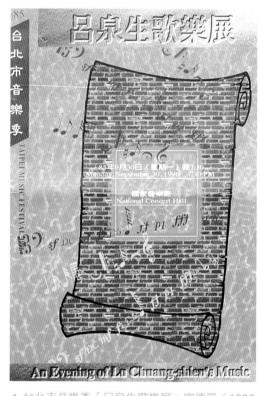

▲ 台北市音樂季「呂泉生歌樂展」宣傳單（1996年）。

◀ 日月潭湖畔音樂會「呂泉生之夜」宣傳單（2001年）。

四季有花香

呂 泉 生 年 表

年代	大事紀
1916年	◎ 7月1日生於今台中縣神岡鄉三角村，父親呂如苞，母親林氏錦。上有姊姊櫻桃、哥哥炎生，泉生排行第三。
1918年（2歲）	◎ 妹妹春子出生。
1920年（4歲）	◎ 祖母張氏尚獨排眾議信仰基督教。
1923年（7歲）	◎ 4月入岸裡公學校讀一年級。
1929年（13歲）	◎ 3月岸裡公學校畢業。 ◎ 3月考取台中一中，4月入學就讀。
1932年（16歲）	◎ 3月底至4月17日春假期間參加學校舉辦之修業旅行，前往日本觀光，在東京日比谷公會堂聽聞一場交響樂演奏後深受感動，立志將來學習音樂。 ◎ 6至12月流連學習小提琴，常曠課至豐原水源地練習。
1933年（17歲）	◎ 3月，四年級學期末，總計本學年曠課達三十六天，遭留級處分。 ◎ 12月起，從「台中婦女鋼琴研究會」主持人陳信貞女士學習鋼琴。
1935年（19歲）	◎ 3月自台中一中畢業，前往東京。 ◎ 4月考取東洋音樂學校預科，主修鋼琴，師從井上定吉。
1936年（20歲）	◎ 4月入本科一年級。 ◎ 春天應邀參加蔡培火舉辦之「台灣音樂留學生親睦座談會」，結識作曲家江文也及陳泗治、張彩湘、翁榮茂等音樂前輩。
1938年（22歲）	◎ 年初因手臂拉傷，傷及神經，不能彈琴。 ◎ 3月通過轉主修考試，師事聲樂部主任阿部英雄。 ◎ 7月底在台參加彰化礦溪會舉辦之音樂會，與黃蕊花、陳暖玉、翁榮茂、廖朝墩、林進生等音樂家一同演出。 ◎ 8月底在台南宮古座與前礦溪會音樂會中之音樂家再次聯袂舉行音樂會。
1939年（23歲）	◎ 3月畢業於東洋音樂學校本科聲樂組。 ◎ 3月畢業同日，在東寶日本劇場首度登台，在音樂劇《東洋の一夜》中飾一中國將軍，為期十天。 ◎ 4至6月以抄譜維生。 ◎ 7月入松竹演劇會社，派往淺草常盤座擔任歌手，藝名「呂玲朗」。 ◎ 8月隨劇團前往朝鮮演出。 ◎ 12月被錄取為奧運會合唱團團員。 ◎ 12月底辭去松竹演劇會社歌手工作。

年代	大事紀
1940年（24歲）	◎ 奧運合唱團解散，重新考入NHK放送合唱團F組。 ◎ 年底考入日本東寶演藝株式會社之聲樂隊，在日本劇場演出，開始隨留德名聲樂家月岡謙之助學習聲樂。
1942年（26歲）	◎ 4月下旬因父病啟程回台，開始與台灣文藝界人士接觸。 ◎ 6月23日應台北放送局（JFAK）邀請舉行獨唱廣播，由陳泗治伴奏，演唱日本、德國、義大利民謠。 ◎ 9月上旬返回東京。 ◎ 9月中父喪，10月中旬再度抵台，此後定居台北。
1943年（27歲）	◎ 3月YMCA舉辦「呂泉生リサイド（獨唱會）」。 ◎ 4月起任台北市成蹊實踐女學校音樂教師。 ◎ 應彰化郡加藤郡守邀請，創作《彰化郡歌》、《彰化音頭》，7月在鹿港公學校由周遜寬率彰化高女學生發表。 ◎ 9月3至5日，擔任音樂製作、演出指揮之新戲《閹雞》由厚生演劇研究會於永樂座發表。 ◎ 11月3日與蕭安居牧師六女美完小姐訂婚。
1944年（28歲）	◎ 1月15日與蕭美完小姐於台灣神學校舉行結婚典禮。 ◎ 3月，應台北放送局（JFAK）台長富田嘉明邀請，入電台擔任囑託，職司文藝部歌唱指導，合唱團指揮、編曲、作曲等職。 ◎ 12月23日在中山教會為陳泗治發表神劇作品《上帝的羔羊》，飾唱「約翰」。
1945年（29歲）	◎ 3月9日長男信也在台北福田產科醫院出生。 ◎ 5月初率厚生男聲合唱團在台北放送局錄製《丟丟銅仔》、《六月田水》、《一隻鳥仔哮救救》等台灣民謠，送往東京NHK電台播出。 ◎ 9月得士林協志會協助，在電台廣播中教導台籍民眾習唱《國歌》（即《黨歌》），由郭琇琮教讀，呂泉生指導旋律。 ◎ 10月中，台北放送局改名「中央廣播事業管理處台灣（省）廣播電台」，任職播音員。
1946年（30歲）	◎ 4月任台灣省警備司令部交響樂團附屬合唱隊隊長兼指揮。 ◎ 擔任新成立之「台灣省文化協進會音樂委員會」委員。
1947年（31歲）	◎ 辭去台灣省政府交響樂團附屬合唱隊隊長兼指揮。 ◎ 9月4日次男惠也在迎產婦人科醫院出生。
1948年（32歲）	◎ 6月升任電台演藝股長。
1949年（33歲）	◎ 11月編纂之《新撰歌曲集》第一集，由台聲樂器行印刷發行。

年代	大事紀
	◎ 11月台灣廣播電台所屬之中央廣播事業管理處（CBA）改制為中國廣播公司（BCC），任中國廣播公司音樂組長。 ◎ 年底自中國廣播公司離職。
1950年（34歲）	◎ 1月受靜修女中聘請，至該校籌組藝術班。 ◎ 編纂發行《新撰歌曲集》第二集。
1951年（35歲）	◎ 暑假辭靜修女中專任教職，改為兼任音樂教師，兼訓練該校鼓笛隊、合唱團。 ◎ 7月受台灣省教育會聘請，擔任音樂視導員，主持編纂中文版《一〇一世界名歌集》。
1952年（36歲）	◎ 1月起負責主持省教育會《新選歌謠》月刊徵曲與出版事宜。 ◎ 3月所主編之中文版《一〇一世界名歌集》付梓出版。 ◎ 年初受省教育會委託，開始編纂國民學校音樂課本。
1953年（37歲）	◎ 促成台灣文化協進會舉辦首屆「全省中等學校學生及兒童音樂比賽大會」。
1954年（38歲）	◎ 與台灣省教育會策劃第一屆「台灣省國民學校合唱比賽」。
1955年（39歲）	◎ 受省教育會委任擔任技能科音樂講師，應地方政府聘請，至各縣市對國校教師講習音樂理論與教育技巧，為期一年多。 ◎ 12月18日在台大醫院禮堂舉行呂泉生作品演唱會。
1956年（40歲）	◎ 5月呂泉生編纂之省教育會版《國民學校音樂課本》付梓出版。 ◎ 9月17日長女玲兒出世。
1957年（41歲）	◎ 4月10日辜偉甫創辦之「榮星兒童合唱團」成立，任團長兼指揮。 ◎ 暑假辭靜修女中兼任音樂教師。
1958年（42歲）	◎ 3月應謝東閔聘請擔任實踐家政專科學校音樂教師。
1960年（44歲）	◎ 3月底辭去台灣省教育會職務，《新選歌謠》月刊亦隨之停辦。 ◎ 8月奉中廣派遣，前往東京NHK電台考察廣播業務，11月返台。
1962年（46歲）	◎ 3月27日參加「製樂小集」第二次作品發表會。
1965年（49歲）	◎ 5月9日榮星合唱團在國際學舍主辦「呂泉生作品音樂會」。
1967年（51歲）	◎ 11月2至9日率榮星兒童隊赴日參加第二屆「亞洲兒童合唱節」大會。
1968年（52歲）	◎ 7月22至29日率榮星兒童隊赴菲律賓演唱。

年代	大事紀
1969年（53歲）	◎ 擔任國立編譯館編輯國民小學音樂課本審查委員。 ◎ 8月實踐家政專科學校成立音樂科，獲聘為音樂科主任。 ◎ 9月編著之《和聲學基礎問答》由台北愛樂書店出版。
1973年（57歲）	◎ 7月16至27日，率榮星兒童隊前往印尼、新加坡、泰國演唱。
1974年（58歲）	◎ 7月13至27日，率榮星婦女隊前往新加坡、馬來西亞、印尼演唱。
1975年（59歲）	◎ 12月21日在台北市中山堂舉行榮星合唱團第二十六屆演唱會，自辦作品發表音樂會。
1977年（61歲）	◎ 7月12至15日，率榮星婦女隊赴菲律賓、香港演唱。 ◎ 7月16至22日，率榮星兒童隊赴馬來西亞、菲律賓、新加坡、泰國訪問演唱。
1978年（62歲）	◎ 暑假首度從實踐家專退休。 ◎ 7月19至8月10日，應西區扶輪社邀請，率榮星兒童隊赴日本鹿兒島、京都、東京及美國檀香山演唱。 ◎ 秋日，甲狀腺腫瘤開刀，手術後傷及聲帶，不能再唱歌。
1979年（63歲）	◎ 暑假應實踐家專教聘，再度回校任教。
1980年（64歲）	◎ 7月12日至8月9日，率榮星兒童隊應美國基督教路德教會邀請，赴美旅行演唱。
1981年（65歲）	◎ 4月9日，台北市政府主辦，中華民國音樂學會協辦，在台北市國父紀念館舉行「呂泉生作品專輯」音樂會。 ◎ 6月15日呂泉生創作集《中華兒童歌謠》由新格唱片公司出版。
1982年（66歲）	◎ 5月15日率榮星兒童隊參加實踐家專音樂科主辦之音樂週「呂泉生作品專輯」，全場演唱兒童歌謠。
1983年（67歲）	◎ 11月5日華視播出陳月卿主持之「呂泉生民謠列車」專輯。
1984年（68歲）	◎ 1月26日至2月13日，率榮星兒童隊赴美參加美國宗教廣播大會（NRB），並巡迴演唱。
1985年（69歲）	◎ 7月3日榮星合唱團團友會於實踐堂舉行「呂泉生作品之夜」演唱會。
1986年（70歲）	◎ 6月自實踐家專屆齡退休。
1987年（71歲）	◎ 8月2日洛杉磯愛樂合唱團與南灣華人合唱團在伯撒尼教堂（Bethany Church of Alhambra）聯合舉辦「呂泉生作品之夜」。

創作的軌跡

年代	大事紀
1989年（73歲）	◎ 2月25日台中縣立文化中心製作「天籟韻傳／呂泉生音樂作品演唱會」。 ◎ 8月21至30日由在美友人安排，率榮星兒童隊赴美旅行演唱。
1990年（74歲）	◎ 5月4日獲頒文藝協會作曲獎。
1991年（75歲）	◎ 4月6日台北市傳統藝術季「蓬萊歌樂鄉土情——呂泉生歌謠作品演唱會」在台北實踐堂演出。 ◎ 5月首度前往中國旅行，順道造訪北京中央音樂院、天津音樂院。 ◎ 6月29日台灣省交響樂團在台中中興堂主辦「蓬萊歌樂鄉土情／呂泉生歌謠作品演唱會」。 ◎ 11月4日榮星文教基金會主辦「呂泉生作品演唱會」在國父紀念館舉行，會後正式從榮星合唱團退休。 ◎ 12月17日獲頒中華民國80年行政院文化獎。 ◎ 12月21日台中縣立文化中心舉辦中華民國80年文藝季「呂泉生歌謠作品演唱會」，同月22、24、29日巡迴桃園、台南、基隆演出。 ◎ 年底赴美依親。
1992年（76歲）	◎ 2月獲邀率領榮星兒童隊參加總統府音樂會。 ◎ 11月21日獲頒中華民國第四屆金曲獎特別獎。
1994年（78歲）	◎ 12月23日台中縣立文化中心策劃舉行「呂泉生作品音樂會」，並發售紀念金幣。
1996年（80歲）	◎ 9月29日返台參加在台北市社教館舉辦之「呂泉生歌樂展」。
1997年（81歲）	◎ 4月17日妻子美完病逝洛杉磯。 ◎ 12月返台參加榮星合唱團四十週年團慶。
1999年（83歲）	◎ 3月返台參加實踐家專音樂科成立三十週年紀念會暨音樂會。 ◎ 6月24至26日全球榮星樂展在美國洛杉磯舉行。
2001年（85歲）	◎ 7月27至29日在溫哥華參加全球榮星團友會。 ◎ 11月24日南投縣政府與觀光局日月潭國家風景區管理處在日月潭湖畔舉行湖畔音樂會「呂泉生之夜」。

▼ 獲頒中華民國第四屆金曲獎特別獎（1992年）。

▲ 接受文藝協會表揚，文建會主委郭為藩親自頒獎（1990年5月4日）。

▼ 台中縣立文化中心為呂泉生製作「台灣兒童合唱音樂之父」紀念幣的正反面（1994年）。

呂泉生歌樂作品表

		創 作 作 品		
曲 名	初創年代	演出型態	出版紀錄	備 註
《看護助手の歌》	1943年	單旋律歌曲	筆者訪問紀錄	＊原譜佚失
《彰化郡歌》	1943年	單旋律歌曲	筆者訪問紀錄	＊原譜佚失
《彰化音頭》	1943年	單旋律歌曲	筆者訪問紀錄	＊原譜佚失
《你是我心目中美麗的薔薇》	1943年	獨唱	《呂泉生歌曲集4》	＊詞：石川啄木 ＊譯詞：居然
		同聲三部	《呂泉生歌曲集3》	
《秋菊》	1944年	同聲三部	《呂泉生歌曲集3》	＊詞：佐藤春夫 ＊譯詞：翁炳榮
		獨唱	《呂泉生歌曲集4》	
《採茶歌》	1943年	無伴奏清唱／同聲四部	《呂泉生歌曲集3》	＊詞：王毓騵
		無伴奏清唱／混聲四部	《呂泉生歌曲集5》	
《小羊兒》	1943年	兒歌同聲二部	《呂泉生歌曲集1》	＊詞：盧雲生
《搖嬰仔歌》	1945年	獨唱	《呂泉生歌曲集4》	＊詞：蕭安居 ＊改寫：盧雲生
		同聲三部與獨唱	《呂泉生歌曲集3》	
《謎語》	1945年	兒歌同聲二部	《呂泉生歌曲集1》	＊詞：小學課外讀本
《三月來了》	1946年	獨唱與同聲三部	《呂泉生歌曲集3》	＊詞：王毓騵
		混聲四部	《呂泉生歌曲集5》	
《兒童進行曲》	1947年	兒歌同聲二部	《呂泉生歌曲集1》	＊詞：翁炳榮
《大夢》	1948年	同聲三部	《呂泉生歌曲集3》	＊詞：台中佛教會
		無伴奏清唱／混聲四部	《呂泉生歌曲集5》	
《天亮了日出了》	1948年	同聲三部	《呂泉生歌曲集3》	＊詞：田舍翁
《農村酒歌》	1948年	混聲四部	《呂泉生歌曲集5》	＊詞：居然

《杯底不可飼金魚》	1949年	獨唱	《呂泉生歌曲集4》	＊詞：居然
		男聲四部	《呂泉生歌曲集3》	
《落大雨》	1949年	獨唱	《呂泉生歌曲集4》	＊詞：游彌堅
		同聲二部	《呂泉生歌曲集3》	
《懷友》	1951年	同聲二部	《呂泉生歌曲集3》	＊詞：盧雲生
《紅葉》	1951年	獨唱	《呂泉生歌曲集4》	＊詞：張自英
		同聲二部	《呂泉生歌曲集3》	
《飛快（車）小姐》	1951年	同聲三部	《呂泉生歌曲集3》	＊詞：盧雲生
		混聲四部	《呂泉生歌曲集5》	
《青天進行曲》	1951年	同聲三部	《呂泉生歌曲集3》	＊詞：盧雲生（龍江）
《月下螢火》	1951年	同聲二部輪唱	《呂泉生歌曲集》	＊詞：方火爐
《鄉愁》	1951年	獨唱	《呂泉生歌曲集4》	＊詞：盧雲生
《低訴》	1953年	無伴奏清唱／同聲三部	《呂泉生歌曲集3》	＊詞：蘇珊
		無伴奏清唱／混聲四部	《呂泉生歌曲集5》	
		無伴奏清唱／混聲四部	《呂泉生歌曲集》	
《孔子頌》	1953年	同聲三部	《呂泉生歌曲集3》	＊詞：楊雲萍
《遊戲》	1953年	兒歌同聲三部	《呂泉生歌曲集1》	＊詞：游彌堅
《跳繩》	1953年	兒歌同聲二部	《呂泉生歌曲集1》	＊詞：游彌堅
《擠油渣》	1953年	兒歌同聲二部	《呂泉生歌曲集1》	＊詞：游彌堅
《剪拳布》	1953年	兒歌同聲二部		＊詞：游彌堅
《狼和小孩》	1953年	兒歌同聲二部	《呂泉生歌曲集1》	＊詞：國校課文
《登山歌》	1953年	兒歌		＊詞：楊雲萍

《講究衛生最重要》	1953年	單旋律附伴奏		*詞：宜源
《進！進！》 （詩集《聖地》中進行曲）	1954年	單旋律附伴奏		*詞：張自英
《有恆歌》	1954年	同聲三部	《呂泉生歌曲集3》	*詞：採自軍中雜誌
《遊子吟》	1954年	獨唱	《呂泉生歌曲集4》	*詞：孟郊
		同聲三部	《呂泉生歌曲集3》	
		混聲四部	《呂泉生歌曲集5》	
《將進酒》	1954年	同聲三部與獨唱	《呂泉生歌曲集3》	*詞：李白
		混聲四部	《呂泉生歌曲集5》	
《明日歌》	1954年	獨唱	《呂泉生歌曲集4》	*詞：錢鶴灘
		同聲三部	《呂泉生歌曲集3》	
《鉛筆》	1954年	兒歌同聲二部	《呂泉生歌曲集1》	*詞：田舍翁
《馬兒》	1954年	兒歌同聲二部	《呂泉生歌曲集1》	*詞：游彌堅
《小鴿子》	1954年	兒歌同聲二部	《呂泉生歌曲集1》	*詞：游彌堅
《捉迷藏》	1954年	兒歌同聲二部	《呂泉生歌曲集1》	*詞：游彌堅
《手拉手》	1954年	兒歌同聲二部	《呂泉生歌曲集1》	*詞：游彌堅
《小貓和老鼠》	1954年	兒歌同聲三部	《呂泉生歌曲集1》	*詞：游彌堅
《老鷹和母雞》	1954年	兒歌同聲二部	《呂泉生歌曲集1》	*詞：游彌堅
《軍中服務歌》	1954年	單旋律附伴奏		*詞：宜源
《田園曲》	1954年	混聲四部	《呂泉生歌曲集5》	*詞：王毓騵
《上學校》	1954年	兒歌同聲二部	《呂泉生歌曲集1》	*詞：王毓騵
《乒乓球》	1954年	兒歌同聲二部	《呂泉生歌曲集1》	*詞：王毓騵

創作的軌跡

《螞蟻搬豆》	1954 年	兒歌同聲二部	《呂泉生歌曲集1》	＊詞：小學課外讀本
《望月思親》	1954 年	獨唱	《呂泉生歌曲集4》	＊詞：白居易
《下雨天真討厭》	1955 年	單旋律附伴奏		
《新皮鞋》	1955 年	單旋律附伴奏		＊詞：游彌堅
《春怨》	1955 年	獨唱	《呂泉生歌曲集4》	＊詞：劉芳平
		同聲三部	《呂泉生歌曲集3》	
《問友》	1955 年	獨唱	《呂泉生歌曲集4》	＊詞：白居易
		同聲三部	《呂泉生歌曲集3》	
		混聲四部	《呂泉生歌曲集5》	
《清明》	1955 年	無伴奏清唱／同聲四部	《呂泉生歌曲集3》	＊詞：杜牧
		無伴奏清唱／混聲四部	《呂泉生歌曲集5》	
《划船》	1955 年	兒歌同聲三部	《呂泉生歌曲集1》	＊詞：王毓騵
《騎竹馬》	1955 年	單旋律附伴奏		
《大好天》	1955 年	兒歌同聲二部	《呂泉生歌曲集1》	＊詞：游彌堅
《搖啊搖》	1955 年	兒歌同聲三部	《呂泉生歌曲集1》	＊詞：課本韻文
《小小司馬光》	1955 年	兒歌同聲二部	《呂泉生歌曲集1》	＊詞：楊雲萍
《村居小唱》	1955 年	獨唱	《呂泉生歌曲集4》	＊詞：楊雲萍
《蘭》	1956 年	獨唱	《呂泉生歌曲集4》	＊詞：沈心工
《過端午》	1956 年	單旋律附伴奏		＊詞：謝新發
《不知名的鳥兒》	1956 年	獨唱	《呂泉生歌曲集4》	＊詞：鍾梅音 ＊1998年修改花腔版本
		同聲二部	《呂泉生歌曲集3》	

《秋思》	1956年	獨唱	《呂泉生歌曲集4》	＊詞：王健
		同聲三部	《呂泉生歌曲集3》	
		混聲四部	《呂泉生歌曲集5》	
《漁父辭》	1956年	同聲三部	《呂泉生歌曲集3》	＊詞：屈原
		混聲四部	《呂泉生歌曲集5》	
《青蛙》	1956年	兒歌同聲二部	《呂泉生歌曲集1》	＊詞：柳哥
《掃墓》	1956年	兒歌同聲二部	《呂泉生歌曲集1》	＊詞：周伯陽
《螢火蟲》	1956年	兒歌同聲三部	《呂泉生歌曲集1》	＊詞：課本韻文
《檬果》	1956年	獨唱	《呂泉生歌曲集4》	＊詞：楊雲萍
《浪淘沙》	1956年	獨唱	《呂泉生歌曲集》	＊詞：韋瀚章
《搖籃歌》	1957年	獨唱	《呂泉生歌曲集4》	＊ 客家調 ＊ 詞：游彌堅
		同聲三部	《呂泉生歌曲集3》	
《薔薇花影》	1957年	無伴奏清唱／同聲三部	《呂泉生歌曲集3》	＊詞：余光中
		無伴奏清唱／混聲四部	《呂泉生歌曲集5》	
《臉蛋兒發紅心裡笑》	1957年	同聲二部	《呂泉生歌曲集3》	＊詞：李鵬遠
《蟬》	1957年	兒歌同聲二部	《呂泉生歌曲集1》	＊詞：王毓騵
《植樹》	1957年	單旋律附伴奏		＊詞：國校課本韻文
《新月》	1957年	兒歌同聲三部	《呂泉生歌曲集1》	＊詞：曉星
《愚公》	1957年	兒歌同聲二部	《呂泉生歌曲集1》	＊詞：課本韻文
《法蘭西洋娃娃》	1957年	兒歌同聲三部	《呂泉生歌曲集1》	＊詞：周伯陽
《愉快的歌聲》	1958年	混聲四部	《呂泉生歌曲集5》	＊詞：王毓騵

《莎喲哪拉》	1958年	獨唱	《呂泉生歌曲集4》	＊詞：徐志摩
		同聲二部	《呂泉生歌曲集3》	
《小狗真淘氣》	1958年	兒歌同聲三部	《呂泉生歌曲集1》	＊詞：游彌堅
《太陽下去了》	1958年	兒歌同聲三部	《呂泉生歌曲集1》	＊詞：游彌堅
《放假回家去》	1958年	兒歌同聲二部	《呂泉生歌曲集1》	＊詞：游彌堅
《銀葫蘆・金葫蘆》	1958年	兒歌同聲二部	《呂泉生歌曲集1》	＊詞：楊雲萍
《逍遙人》	1958年	獨唱	《呂泉生歌曲集4》	＊詞：白居易
《阮若打開心內的門窗》	1958年	獨唱	《呂泉生歌曲集4》	＊詞：王昶雄
		混聲四部	《呂泉生歌曲集5》	
《長頸鹿》	1959年	兒歌同聲二部	《呂泉生歌曲集1》	＊詞：周伯陽
《春曉》	1959年	獨唱	《呂泉生歌曲集4》	＊詞：孟浩然
《珍妮的辮子》	1959年	無伴奏清唱／同聲三部	《呂泉生歌曲集3》	＊詞：余光中
		無伴奏清唱／混聲四部	《呂泉生歌曲集5》	
《兩隻蜻蜓》	1959年	兒歌同聲二部	《呂泉生歌曲集1》	＊詞：課外讀本
《新年歌》	1959年	同聲三部	《呂泉生歌曲集》	＊詞：居然
		混聲四部	《呂泉生歌曲集5》	
《總是我不著》	1960年	獨唱	《呂泉生歌曲集4》	＊詞：楊雲萍
		混聲四部	《呂泉生歌曲集5》	
《青海青》	1960年	同聲三部	《呂泉生歌曲集3》	＊詞：羅家倫
《和風》	1960年	無伴奏清唱／同聲四部	《呂泉生歌曲集3》	＊詞：俊中
		無伴奏清唱／混聲四部	《呂泉生歌曲集5》	
《秋風歌》	1961年	獨唱	《呂泉生歌曲集4》	＊詞：漢武帝

《意志》	1961年	無伴奏清唱／同聲三部	《呂泉生歌曲集3》	＊詞：李鼎益
		無伴奏清唱／混聲四部	《呂泉生歌曲集5》	
《秋夜月》	1961年	獨唱	《呂泉生歌曲集4》	＊詞：劉基
《夜思》	1961年	無伴奏清唱／同聲三部	《呂泉生歌曲集3》	＊詞：成功大學毛毛
		無伴奏清唱／混聲四部	《呂泉生歌曲集5》	
《明月》	1961年	獨唱	《呂泉生歌曲集》	＊詞：陳滿盈
《我有一份懷念》	1962年	同聲三部	《呂泉生歌曲集3》	＊詞：崔菱
《幸福如我》	1962年	同聲四部	《呂泉生歌曲集3》	＊詞：崔菱
《絕代佳人》	1963年	獨唱	《呂泉生歌曲集4》	＊詞：李延年
		同聲二部	《呂泉生歌曲集3》	
《墾荒》	1963年	獨唱	《呂泉生歌曲集4》	＊詞：金銘
		同聲三部	《呂泉生歌曲集3》	
《常常在靜夜裡》	1963年	無伴奏清唱／同聲三部	《呂泉生歌曲集3》	＊詞：鄭百茵
		無伴奏清唱／混聲四部	《呂泉生歌曲集5》	
《失落的夢》	1963年	同聲三部	《呂泉生歌曲集》	＊詞：王昶雄
		混聲四部	《呂泉生歌曲集5》	
《這種事不能隨便說》	1963年	無伴奏清唱／同聲三部	《呂泉生歌曲集3》	＊詞：黃家燕
		無伴奏清唱／混聲四部	《呂泉生歌曲集5》	
《月出歌》	1963年	獨唱	《呂泉生歌曲集4》	＊詞：詩經
		同聲三部	《呂泉生歌曲集3》	
		混聲四部	《呂泉生歌曲集5》	
《大風歌》	1963年	男聲四部	《呂泉生歌曲集3》	＊詞：劉邦

《白髮嘆》	1963年	獨唱	《呂泉生歌曲集4》	*詞：白居易
《旅行》	1963年	同聲二部	《呂泉生歌曲集》	*詞：梅耐寒
《長相思》	1965年	無伴奏清唱／同聲四部	《呂泉生歌曲集3》	*詞：李後主
		無伴奏清唱／混聲四部	《呂泉生歌曲集5》	
《征人別離歌》	1965年	無伴奏清唱／男聲四部	《呂泉生歌曲集3》	*譯詞：張易 *書誤註蕭而化詞
《向著光明走》	1965年	同聲四部	《呂泉生歌曲集3》	*詞：崔菱
		混聲四部	《呂泉生歌曲集5》	
《如花的友情》	1965年	無伴奏清唱／同聲四部	《呂泉生歌曲集3》	*詞：崔菱
		無伴奏清唱／混聲四部	《呂泉生歌曲集5》	
《別嘆息別煩惱》	1965年	無伴奏清唱／同聲四部	《呂泉生歌曲集3》	*詞：崔菱
		無伴奏清唱／混聲四部	《呂泉生歌曲集5》	
《春花秋月何時了》	1965年	獨唱	《呂泉生歌曲集4》	*詞：李煜
《林花謝了春紅太匆匆》	1965年	獨唱	《呂泉生歌曲集4》	*詞：李煜
《醉鄉路穩宜頻到》	1965年	獨唱	《呂泉生歌曲集4》	*詞：李煜
《高山薔薇開處》	1966年	無伴奏清唱同聲三部	《呂泉生歌曲集3》	*譯詞：蕭而化
		無伴奏清唱混聲四部	《呂泉生歌曲集5》	
《相思》	1966年	獨唱	《呂泉生歌曲集》	*詞：游彌堅
《我愛中華》	1967年	同聲三部	《呂泉生歌曲集3》	*詞：呂泉生
《也是微雲》	1968年	無伴奏清唱／同聲四部	《呂泉生歌曲集3》	*詞：胡適
		無伴奏清唱／混聲四部	《呂泉生歌曲集5》	
《悲傷夜曲》	1969年	同聲二部	《呂泉生歌曲集3》	*詞：瓊瑤

歌名	年份	編制	出處	備註
《請把你的窗兒開》	1969年	獨唱	《呂泉生歌曲集4》	＊詞：瓊瑤
		同聲三部	《呂泉生歌曲集3》	
《無題》	1969年	同聲四部	《呂泉生歌曲集3》	＊詞：李商隱
		混聲四部	《呂泉生歌曲集5》	
《大家來工作》	1970年	同聲二部	《呂泉生歌曲集3》	＊詞：莊奴
《雨夜的小徑》	1970年	獨唱	《呂泉生歌曲集4》	＊詞：王昶雄
		同聲二部	《呂泉生歌曲集3》	
《我愛媽媽》	1970年	獨唱	《呂泉生歌曲集4》	＊詞：呂泉生
		同聲四部	《呂泉生歌曲集3》	
	1997年	混聲四部		
《望江南》	1971年	獨唱	《呂泉生歌曲集4》	＊詞：李後主
		同聲二部	《呂泉生歌曲集3》	
《你和我》	1971年	同聲二部	《呂泉生歌曲集3》	＊詞：謝鵬雄
《初月》	1971年	獨唱	《呂泉生歌曲集4》	＊詞：杜甫
		同聲三部	《呂泉生歌曲集3》	
《智慧友情歌聲》 （又名《歌聲友情智慧》）	1971年	同聲三部	《呂泉生歌曲集1》	＊詞：王昶雄 ＊歌名不一
		混聲四部	《呂泉生歌曲集5》	
《黑霧》	1971年	獨唱	《呂泉生歌曲集4》	＊詞：許建吾
《安魂歌》	1971年	同聲三部	《呂泉生歌曲集3》	＊詞：王昶雄
		混聲四部	《呂泉生歌曲集5》	
《家庭主婦》	1972年	同聲二部	《呂泉生歌曲集3》	＊詞：王文山
《雄雉歌》	1973年	獨唱	《呂泉生歌曲集4》	＊詞：詩經

		同聲三部	《呂泉生歌曲集3》	
《陽光帶來幸福》	1973年	同聲三部	《呂泉生歌曲集3》	＊詞：慎芝
《薄暮》	1973年	無伴奏清唱／同聲四部	《呂泉生歌曲集3》	＊詞：戴宗良
		無伴奏清唱／混聲四部	《呂泉生歌曲集5》	
《海鷗》	1974年	同聲二部	《呂泉生歌曲集3》	＊詞：謝鵬雄
《蒲公英》	1974年	同聲二部	《呂泉生歌曲集3》	＊詞：王文山
《關雎》	1974年	同聲三部	《呂泉生歌曲集3》	＊詞：詩經
		無伴奏清唱／混聲四部	《呂泉生歌曲集5》	
《懷》	1974年	無伴奏清唱／男聲四部	《呂泉生歌曲集3》	＊詞：曉霧
		無伴奏清唱／混聲四部	《呂泉生歌曲集5》	
《駱駝》	1974年	獨唱	《呂泉生歌曲集4》	＊詞：王文山
《雨夜吟》	1974年	獨唱	《呂泉生歌曲集4》	＊詞：王文山
		同聲二部	《呂泉生歌曲集》	
		同聲三部	《呂泉生歌曲集》	
		獨唱與混聲四部	《呂泉生歌曲集5》	
《爬山》	1974年	無伴奏清唱／同聲四部	《呂泉生歌曲集》	＊詞：王文山
《狂想歌》	1975年	同聲二部	《呂泉生歌曲集3》	＊詞：王文山
《今天最開懷》	1975年	獨唱	《呂泉生歌曲集4》	＊詞：王文山
		同聲三部	《呂泉生歌曲集3》	
《奇怪》	1975年	無伴奏清唱／同聲四部	《呂泉生歌曲集3》	＊詞：王文山
《大豆頌》	1975年	同聲四部	《呂泉生歌曲集3》	＊詞：王文山
	1992年	混聲四部	筆者訪問紀錄	

《為富不仁》	1975年	獨唱	《呂泉生歌曲集4》	＊詞：王文山
《合家歡》	1976年	同聲二部	《呂泉生歌曲集3》	＊詞：王昶雄
《郊遊》	1976年	同聲三部	《呂泉生歌曲集3》	＊詞：王毓騵
		同聲三部	《呂泉生歌曲集》	
《幹幹幹》	1976年	同聲三部	《呂泉生歌曲集3》	＊詞：王文山
《有志者》	1976年	無伴奏清唱／同聲四部	《呂泉生歌曲集3》	＊詞：王文山
《鹿鳴篇》	1976年	獨唱	《呂泉生歌曲集4》	＊詞：詩經
《女員工之歌》	1976年	同聲四部	《呂泉生歌曲集》	＊詞：呂泉生
《菩薩蠻》	1976年	獨唱	《呂泉生歌曲集4》	＊詞：王文山
《思へ出は》	1976年	獨唱	《呂泉生歌曲集》	＊詞：吳建堂
《灑脫愉快一擔挑》	1977年	獨唱	《呂泉生歌曲集4》	＊詞：王文山
		同聲二部	《呂泉生歌曲集3》	
《行徑》	1977年	同聲三部	《呂泉生歌曲集3》	＊詞：王文山
《是是非非》	1977年	無伴奏清唱／同聲四部	《呂泉生歌曲集3》	＊詞：王文山
《離別歌》	1977年	無伴奏清唱／混聲四部	《呂泉生歌曲集5》	＊詞：王文山
《歸家》	1978年	無伴奏清唱／同聲三部	《呂泉生歌曲集3》	＊詞：杜牧
《盛夏新鉤月》	1978年	無伴奏清唱／同聲三部	《呂泉生歌曲集3》	＊詞：王文山
《天地一沙鷗》	1978年	無伴奏清唱／同聲四部	《呂泉生歌曲集3》	＊詞：王文山
《海倫凱勒》	1978年	獨唱	《呂泉生歌曲集4》	＊詞：王文山
		兒歌同聲二部	《呂泉生歌曲集1》	
		同聲四部	《呂泉生歌曲集》	
		混聲四部	《呂泉生歌曲集5》	

創作的軌跡

《雕刻於心上》	1979 年	無伴奏清唱／同聲四部	《呂泉生歌曲集 3》	＊詞：弦橋
		無伴奏清唱／混聲四部	《呂泉生歌曲集 5》	
《慈母頌》	1979 年	無伴奏清唱／混聲四部	《呂泉生歌曲集 5》	＊詞：劉英傑
《蓮花》	1980 年	獨唱	《呂泉生歌曲集 4》	＊詞：王昶雄
		同聲二部	《呂泉生歌曲集 3》	
《心願》	1980 年	無伴奏清唱／同聲四部	《呂泉生歌曲集 3》	＊詞：高準
《呼喚》	1980 年	獨唱	《呂泉生歌曲集 4》	＊詞：余光中
		同聲三部	《呂泉生歌曲集 3》	
		同聲三部	《呂泉生歌曲集》	
		獨唱與混聲四部	《呂泉生歌曲集 5》	
《誰的心沒受過傷》	1981 年	獨唱	《呂泉生歌曲集 4》	＊詞：陳榮
《我要飛向長空》	1981 年	同聲二部	《呂泉生歌曲集》	＊詞：向明
《長巷花傘》	1982 年	同聲三部	《呂泉生歌曲集 3》	＊詞：王大空
《祖母愛唱歌》	1982 年	無伴奏清唱／同聲三部	《呂泉生歌曲集 3》	＊詞：王昶雄
《去罷》	1983 年	同聲二部	《呂泉生歌曲集 3》	＊詞：徐志摩
《回憶》	1983 年	獨唱	《呂泉生歌曲集 4》	＊詞：鄧禹平
		同聲三部	《呂泉生歌曲集 3》	
		混聲四部	《呂泉生歌曲集 5》	
《聖誕節》	1983 年	同聲三部	《呂泉生歌曲集 3》	＊詞：Michael Yang
《五月康乃馨》	1984 年	獨唱	《呂泉生歌曲集 4》	＊詞：呂泉生
		獨唱與長笛助奏	《呂泉生歌曲集》	
《中華兒女頌》	1984 年	同聲三部	《呂泉生歌曲集 3》	＊詞：王昶雄

		混聲四部	《呂泉生歌曲集5》	
《故鄉》	1985年	獨唱	《呂泉生歌曲集4》	＊詞：傅林統
		同聲二部	《呂泉生歌曲集3》	
《親恩》	1985年	同聲二部	《呂泉生歌曲集》	＊詞：劉國定
《我愛台灣的老家》（國語）	1986年	獨唱	《呂泉生歌曲集4》	＊詞：王昶雄
		同聲二部	《呂泉生歌曲集3》	
《我愛台灣的故鄉》（台語）	1986年	同聲二部	《呂泉生歌曲集》	＊詞：王昶雄
《哈仙達海茲的查利》	1986年	混聲四部	《呂泉生歌曲集5》	＊詞：呂泉生
《結》	1986年	獨唱	《呂泉生歌曲集》	＊詞：王昶雄
《媽祖誕生歌》	1986年	同聲二部	《呂泉生歌曲集》	＊詞：黃瑩
《美安卡之歌》	1987年	同聲二部	《呂泉生歌曲集》	＊詞：呂泉生
《林旺之歌》	1987年	同聲二部	《呂泉生歌曲集》	＊詞：王昶雄
《台北—東京》	1987年	同聲三部	《呂泉生歌曲集》	＊詞：呂泉生
《As Soon As It's Fall》	1988年	同聲三部	《呂泉生歌曲集》	＊詞：Aileen Fisher
《相守》	1988年	二重唱	《呂泉生歌曲集》	＊詞：詹益川 ＊1994年修改
《把心靈的門窗打開》	1990年	同聲三部	《呂泉生歌曲集》	＊詞：王昶雄
《我的爸爸》	1990年	同聲三部	《呂泉生歌曲集》	＊詞：呂泉生
《校園懷思》	1990年	同聲二部	《呂泉生歌曲集》	＊詞：策比匠
《Sleep Baby Sleep》	1991年	同聲三部	《呂泉生歌曲集》	＊詞：Aileen Fisher
《囚人搖籃歌》	1992年	獨唱	《呂泉生歌曲集》	＊詞：江蓋世 ＊1998年修改

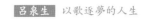

《老師！祝福您》	1992 年	獨唱 同聲四部	《呂泉生歌曲集》	＊詞：李怡慧
《那是一定沒有錯》	1992 年	同聲三部	筆者訪問紀錄	＊詞：林玲
《如意》	1993 年	獨唱	筆者訪問紀錄	
《臭臭的可樂》	1993 年	同聲三部	筆者訪問紀錄	
《The Moon》	1993 年	二部卡農	筆者訪問紀錄	
《星星與貝殼》	1993 年	混聲四部	筆者訪問紀錄	＊詞：鄭春華 ＊1995 年修改
《祝您金婚》	1994 年	獨唱與同聲三部	筆者訪問紀錄	＊詞：呂泉生
《A Fresh Star in Victoria Woods Friendly Surroundings》	1995 年	同聲三部	筆者訪問紀錄	＊詞：Tobie McGriff
《黑黑的雲臭臭的水》	1995 年	混聲四部	筆者訪問紀錄	＊詞：陳耀元
《The Moon Celtic Child's Saying》	1995 年	輪唱	筆者訪問紀錄	
《但願能夠再娶你》 （中國情人節短詩）	1995 年	獨唱	筆者訪問紀錄	＊詞：周瑜棠
《Walking by the Potomac River》	1997 年	二部合唱	筆者訪問紀錄	＊詞：蕭永真
《郭綜合醫院院歌》	1998 年	混聲四部	筆者訪問紀錄	＊詞：呂泉生
《震災安魂曲》	1999 年	混聲四部	筆者訪問紀錄	＊詞：張成勳
《我愛溫哥華》	2001 年	同聲三部 混聲四部	筆者訪問紀錄	＊詞：鹿耳門漁夫
《燕子築新巢》	2002 年	獨唱	筆者訪問紀錄	＊詞：馬景賢
《愛》	2002 年	獨唱	筆者訪問紀錄	＊詞：阪本越郎 ＊譯詞：蘇石平

曲 名	初創年代	演出型態	出版紀錄	備 註
《春天》	2002年	獨唱	筆者訪問紀錄	＊詞：許庭媛
《猜猜看一個字》	2002年	二部合唱	筆者訪問紀錄	
《台灣真是好寶島》	不詳	混聲四部	《呂泉生歌曲集5》	＊詞：郭清標
《中華兒女氣如虹》	不詳	混聲四部	《呂泉生歌曲集5》	＊詞：鄭傳叔
《再見！榮星！》	不詳	同聲三部	《呂泉生歌曲集》	＊詞：呂泉生
《祝福你們》	不詳	同聲三部	《呂泉生歌曲集》	＊詞：呂泉生 ＊祝賀鋼琴家 　朱象泰結婚作
《國旗飄飄》	不詳	同聲三部	《呂泉生歌曲集》	＊詞：周春堤

改 編 作 品				
曲 名	初創年代	演出型態	出版紀錄	備 註
《祭日》	1942年	器樂演奏譜	筆者訪問紀錄	＊詞：田村富士雄 ＊原曲：陳華提 ＊原譜佚失
《月の出た鼓浪嶼》	1942年	器樂演奏譜	筆者訪問紀錄	＊原曲：鄧雨賢 ＊原譜佚失
《一隻鳥仔哮救救》	1943年	獨唱	《呂泉生歌曲集4》	＊嘉義民謠
		同聲三部	《呂泉生歌曲集2》	
《六月田水》	1943年	無伴奏清唱／混聲四部	《呂泉生歌曲集5》	＊嘉義民謠
《丟丟銅仔》	1943年	無伴奏清唱／同聲三部	《呂泉生歌曲集3》	＊宜蘭民謠
		無伴奏清唱／混聲四部	《呂泉生歌曲集》	
《等待》	1947年	獨唱		＊台灣歌仔戲哭調 ＊詞：居然

《邀遊》	1948年	無伴奏清唱同聲三部	《呂泉生歌曲集2》	＊台灣日月潭古謠（邵族歌謠）
		無伴奏清唱混聲四部	《呂泉生歌曲集》	
《快樂的聚會》	1948年	同聲三部	《呂泉生歌曲集2》	＊水社民歌（邵族歌謠）
		混聲四部	《呂泉生歌曲集5》	
《如花美麗的姑娘》	1948年	同聲三部	《呂泉生歌曲集2》	＊烏來山地民歌
《美麗的角板山》	1948年	同聲三部	《呂泉生歌曲集2》	＊角板山山地民歌 ＊詞：翁炳榮
		混聲三部	《呂泉生歌曲集5》	
		混聲四部	《呂泉生歌曲集》	
《粟祭》	1949年	同聲三部	《呂泉生歌曲集》	＊知本社民歌
		同聲三部	《呂泉生歌曲集2》	
《採蓮謠》	1949年	同聲二部	《呂泉生歌曲集2》	＊原曲：劉雪庵 ＊詞：韋瀚章
《露營》	1951年	同聲二部	《呂泉生歌曲集2》	＊美國民歌 ＊詞：王毓騵
《鐘聲》	1951年	同聲二部	《呂泉生歌曲集2》	＊原曲：莫札特 ＊詞：游彌堅
《神祕的森林》	1951年	同聲二部	《呂泉生歌曲集2》	＊德國民歌 ＊詞：方火爐
《吊床》（Hammock）	1952年	單旋律／附伴奏		＊原曲：曹賜土 ＊譯詞：宋金印 ＊伴奏：呂泉生
《明月照江頭》	1952年	單旋律／附伴奏		＊原曲：曹賜土 ＊詞：燕秋 ＊伴奏：起立
《學唱歌》	1953年	單旋律／附伴奏		＊詞：蕭而化

創作的軌跡

《木瓜》	1953年	單旋律／附伴奏		＊原曲：蘇春濤 ＊詞：周伯陽 ＊伴奏：起立
《螞蟻王！螞蟻王！》	1953年	單旋律／附伴奏		＊原曲：蕭璧珠 ＊伴奏：起立
《太陽告訴我》	1953年	單旋律／附伴奏		＊原曲：廖年賦 ＊伴奏：呂泉生
《約斯蘭催眠歌》	1953年	單旋律／附伴奏		＊原曲：B. Golard ＊詞：蕭而化 ＊和聲：鐵生
《築路歌》	1953年	單旋律／附伴奏		＊原曲：張秉智
《農村四季》	1953年	單旋律／附伴奏		＊原曲：楊兆禎 ＊編詞：龍江
《黃鶴樓》	1954年	單旋律／附伴奏		＊詞：崔灝 ＊原曲：陳明律 ＊伴奏：鐵生
《咖里飯》 （童子軍露營歌）	1954年	單旋律／附伴奏		＊詞：王毓騵 ＊和聲：呂泉生
《荷包蛋》 （童子軍露營歌）	1954年	單旋律／附伴奏		＊編曲：鐵生 ＊詞：宜源
《大家歡笑》	1954年	單旋律／附伴奏		＊編曲：起立 ＊詞：王毓騵
《小蜜蜂》	1954年	兒歌同聲二部	《呂泉生歌曲集1》	＊原曲：黃昭雄 ＊詞：不詳
《小白鵝》	1954年	單旋律／附伴奏		＊原曲：黃昭雄 ＊伴奏：明秋
《快樂小魚》	1954年	單旋律／附伴奏		＊原曲：黃昭雄 ＊伴奏：明秋
《爬山》 （關西情歌）	1954年	同聲三部	《呂泉生歌曲集2》	＊台灣客家民謠 ＊詞：王毓騵

《思故鄉》	1954年	同聲二部	《呂泉生歌曲集2》	＊原曲：黃昭雄
《春天好》	1954年	同聲三部	《呂泉生歌曲集2》	＊原曲：黃昭雄
《母親！你真偉大》	1954年	同聲二部	《呂泉生歌曲集2》	＊原曲：佚名 ＊詞：王毓騵
《農夫歌》（表演歌）	1955年	單旋律／附伴奏		＊原曲：陳波堂
《保健歌》	1955年	單旋律／附伴奏		＊原曲：陳波堂
《春在招呼你》	1955年	單旋律／附伴奏		＊法國民歌 ＊詞：盧雲生
《踏青歌》	1955年	單旋律／附伴奏		＊原曲：陳波堂
《初夏》	1955年	單旋律／附伴奏		＊原曲：林世凱
《搖籃曲》	1955年	單旋律／附伴奏		＊原曲：楊兆禎
《風來了》	1955年	單旋律／附伴奏		＊原曲：林福裕 ＊詞：國學常識課文
《江水流》	1955年	單旋律／附伴奏		＊原曲：潘鵬
《秋風清》	1955年	單旋律／附伴奏		＊原曲：張邦彥 ＊詞：李白
《送征衣》	1955年	單旋律／附伴奏		＊原曲：張誠益
《來舞蹈》	1955年	單旋律／附伴奏		＊原曲：俞磊
《童謠》	1955年	兒歌同聲二部	《呂泉生歌曲集1》	＊原曲：陳石松
《小鳥窩》	1955年	兒歌同聲二部	《呂泉生歌曲集1》	＊原曲：俞磊
《農家好》	1955年	同聲二部	《呂泉生歌曲集2》	＊原曲：楊兆禎
《阿里嵐》	1955年	同聲二部		＊韓國民謠 ＊詞：游彌堅
《戰友》	1955年	同聲三部	《呂泉生歌曲集2》	＊瑞士民歌 ＊詞：王毓騵

《王老先生有塊地》	1955 年	同聲三部	《呂泉生歌曲集 2》	＊美國民歌
《阿爾布士登山歌》	1955 年	同聲三部	《呂泉生歌曲集 2》	＊瑞士民歌 ＊譯詞：游彌堅
《教我如何不想她》	1956 年	單旋律／附伴奏		＊原曲：趙元任 ＊詞：劉半農 ＊伴奏：呂泉生
《灰老鼠》	1956 年	單旋律／附伴奏		＊原曲：照星 ＊詞：蘇更生
《山村姑娘》	1956 年	女聲三部合唱		＊義大利民謠 ＊譯詞：游彌堅
《春遊好》	1956 年	單旋律／附伴奏		＊原曲：俞磊
《搖籃歌》	1956 年	單旋律／附伴奏		＊原曲：舒伯特 ＊譯詞：周學普
《小狗》	1956 年	單旋律／附伴奏		＊原曲：李景臣
《小星星》	1956 年	單旋律／附伴奏		＊原曲：朱西湖
《採茶謠》	1956 年	獨唱	《呂泉生歌曲集 4》	＊旋律：劉克爾
《山腰上的家》	1956 年	混聲四部	《呂泉生歌曲集 5》	＊美國牧童歌謠
《快布穀》	1956 年	同聲二部	《呂泉生歌曲集 2》	＊原曲：陳世凱 ＊編曲：明秋
《迎春》	1956 年	同聲二部	《呂泉生歌曲集 2》	＊原曲：莫札特 ＊詞：華秋 ＊編曲：明秋
《新春舞曲》	1956 年	同聲二部	《呂泉生歌曲集 2》	＊原曲：韋伯 ＊詞：王毓騵
《斑鳩呼友》	1956 年	同聲二部	《呂泉生歌曲集 2》	＊德國童謠 ＊詞：游彌堅
《異鄉寒夜曲》	1956 年	同聲二部	《呂泉生歌曲集 2》	＊韓國民謠

《可憐的小麻雀》	1956年	同聲二部	《呂泉生歌曲集2》	＊美國童謠 ＊詞：游彌堅
《西北風》	1956年	同聲三部	《呂泉生歌曲集2》	＊德國民謠
《大家來唱》	1956年	同聲三部	《呂泉生歌曲集2》	＊原曲：Robert Allen ＊譯詞：呂泉生
《安尼羅利》	1956年	同聲三部	《呂泉生歌曲集2》	＊原曲：Lady John Scott ＊譯詞：海舟
《卡布利島》	1956年	同聲三部	《呂泉生歌曲集2》	＊義大利民謠 ＊詞：宜源
《茶》	1957年	單旋律／附伴奏		＊關西客家民謠 ＊採譜配詞：溫錦龍
《馬撒永眠黃泉下》	1957年	單旋律／附伴奏		＊原曲：S. Foster ＊譯詞：張易
《小鳥回家了》	1957年	單旋律／附伴奏		＊原曲：俞磊 ＊詞：沈卜
《中秋怨》	1957年	單旋律／附伴奏		＊原曲：黃友棣 ＊詞：李韶
《趕快工作》	1957年	單旋律／附伴奏		＊原曲：羅維‧梅森 ＊譯詞：劉廷芳
《小小紙船兒》	1957年	單旋律／附伴奏		＊原曲：陳榮盛
《山谷裡的燈火》	1957年	單旋律／附伴奏		＊美國民歌 ＊詞：王毓騵
《聖誕老人》	1957年	單旋律／附伴奏		＊詞：王毓騵
《日頭落山一點紅》	1957年	無伴奏清唱／同聲四部	《呂泉生歌曲集5》	＊關西客家民歌
		無伴奏清唱／同聲四部	《呂泉生歌曲集》	
《歡喜與和氣》	1957年	同聲二部	《呂泉生歌曲集2》	＊德國民謠 ＊詞：游彌堅

《維也納郊外之夜》	1957年	同聲三部	《呂泉生歌曲集2》	*原曲：布拉姆斯 *詞：游彌堅
《快樂人生》	1958年	單旋律／附伴奏		*原曲：Heikens *詞：王毓騵
《新春舞曲》	1958年	單旋律／附伴奏	《呂泉生歌曲集2》	*原曲：韋伯 *詞：王筱雲
《鱒魚》	1958年	單旋律／附伴奏		*原曲：舒伯特
《靜夜星空》	1958年	單旋律／附伴奏	《呂泉生歌曲集2》	*原曲：Hays *詞：游彌堅
《稻草裡的火雞》	1958年	單旋律／附伴奏		*美國民謠 *譯詞：王毓騵
《河邊》	1958年	單旋律／附伴奏		*原曲：Waylich *詞：游彌堅
《紅綠燈》	1958年	單旋律／附伴奏		* 譯詞：游彌堅 * 又名《紅燈綠燈》
《柯羅拉多之夜》	1958年	單旋律／附伴奏		*美國民謠 *詞：王毓騵
《願君安睡到天明》	1958年	單旋律／附伴奏		*法國民歌 *詞：宜源
《可愛的陽光》 （O Sole mio）	1958年	單旋律／附伴奏		*原曲：Capua
《顛倒歌》	1958年	無伴奏清唱／同聲四部	《呂泉生歌曲集3》	*安徽民歌
		無伴奏清唱／混聲四部	《呂泉生歌曲集5》	
《匈牙利舞曲》	1958年	混聲四部	《呂泉生歌曲集5》	*原曲：布拉姆斯 *詞：游彌堅
《玫瑰三願》	1958年	同聲二部	《呂泉生歌曲集2》	*原曲：黃自 *詞：龍七
《康定情歌》	1958年	同聲三部	《呂泉生歌曲集2》	*西康民謠

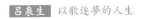
創作的軌跡

《桔梗花（杜拉蕆）》	1958年	同聲三部	《呂泉生歌曲集2》	＊韓國民謠 ＊詞：游彌堅
《羅莽湖邊》	1958年	同聲三部	《呂泉生歌曲集2》	＊蘇格蘭民歌 ＊譯詞：海舟
《土耳其進行曲》	1958年	同聲二部	《呂泉生歌曲集2》	＊原曲：貝多芬 ＊詞：王毓騵
《遙寄相思》	1958年	同聲三部	《呂泉生歌曲集2》	＊原曲：蕭邦 ＊詞：王毓騵
《少年樂手》	1959年	單旋律／附伴奏		＊英國古歌 ＊詞：蕭而化
《雲》	1959年	單旋律／附伴奏		＊原曲：巴赫 ＊詞：王筱雲
《遠足》	1959年	單旋律／附伴奏		＊德國民歌 ＊詞：謝新發
《搖籃歌》	1959年	單旋律／附伴奏		＊原曲：莫札特 ＊詞：周學普
《催眠的精靈》	1959年	單旋律／附伴奏		＊原曲：布拉姆斯 ＊詞：周學普
《歸來吧！蘇瀾多》	1959年	單旋律／附伴奏		＊原曲：De Curtis
《夢中的佳人》	1959年	單旋律／附伴奏		＊原曲：Foster ＊詞：王毓騵
《哦！聖善夜》	1959年	同聲三部	《呂泉生歌曲集2》	＊原曲：阿道夫‧ 阿當
《郊外行》	1960年	單旋律／附伴奏		＊比利時民歌 ＊詞：王毓騵
《鳳陽花鼓》	1960年	同聲三部	《呂泉生歌曲集2》	＊中國民歌 ＊伴奏：黃永熙
《匈牙利狂想曲第二號》	1960年	三部合唱	《匈牙利狂想曲第二號》	＊鋼琴曲：李斯特 ＊1960年自印樂譜

《望阿姨》	1961年	同聲三部	《呂泉生歌曲集2》	＊廣東民歌
《小河淌水》	1962年	同聲二部	《呂泉生歌曲集2》	＊雲南民歌
《山歌仔》	1963年	獨唱	《呂泉生歌曲集4》	＊客家民謠 ＊記譜：楊兆禎
《啊！牧場上綠油油》	1963年	同聲三部	《呂泉生歌曲集2》	＊德國民謠 ＊譯詞：呂泉生
《追尋》	1965年	同聲三部	《呂泉生歌曲集2》	＊詞：許建吾 ＊原曲：劉雪庵
《紅豆詞》	1965年	同聲三部	《呂泉生歌曲集2》	＊原曲：劉雪庵
《插秧歌》	1968年	同聲三部		＊菲律賓民謠 ＊1968年榮星赴 　菲律賓演唱作 ＊譯詞：游彌堅
《白髮吟》	1968年	同聲三部	《呂泉生歌曲集2》	＊原曲：H. P. 　Danke ＊詞：蕭而化
《一根扁擔》	1969年	同聲三部	《呂泉生歌曲集2》	＊湖南山西民歌
		混聲四部	《呂泉生歌曲集5》	
《補缸》	1969年	無伴奏清唱／同聲四部	《呂泉生歌曲集2》	＊廣東海豐民歌
《山的別離》	1969年	無伴奏清唱／同聲三部	《呂泉生歌曲集2》	＊瑞士民歌
《在那遙遠的地方》	1971年	無伴奏清唱／混聲四部	《呂泉生歌曲集5》	＊青海民歌
《空軍軍歌》	1971年	同聲二部	《呂泉生歌曲集2》	＊原曲：劉雪庵 ＊詞：簡樸
《蚱蜢與公雞》 （又名《草蜢弄雞公》）	1971年	同聲二部	《呂泉生歌曲集2》	＊台灣民謠 ＊詞：黃瑩
		同聲三部	《呂泉生歌曲集》	
《阿拉木汗》	1971年	同聲四部	《呂泉生歌曲集2》	＊新疆民歌

		混聲四部	《呂泉生歌曲集5》	
《老黑嚼》	1971年	獨唱與同聲三部	《呂泉生歌曲集2》	＊原曲：佛斯特 ＊詞：蕭而化
《遠足》	1972年	無伴奏清唱／同聲三部	《呂泉生歌曲集2》	＊德國民歌 ＊詞：王毓騵
《割稻》	1972年	同聲三部		＊印尼民謠 ＊1973年榮星兒童隊 　赴印尼作
《樅（樹）》	1973年	無伴奏清唱／同聲三部	《呂泉生歌曲集2》	＊德國民歌 ＊譯詞：周學普
《天倫歌》	1974年	同聲二部	《呂泉生歌曲集2》	＊原曲：黃自 ＊詞：鍾實根
《台灣真是風光好》	1974年	混聲四部	《呂泉生歌曲集5》	＊詞：王昶雄
《百靈鳥你這美妙的歌手》	1974年	同聲二部	《呂泉生歌曲集2》	＊哈薩克民謠
《夢鄉》（Children's Dreamland）	1976年	同聲二部	《呂泉生歌曲集3》	＊和聲：呂泉生
《思想起》	1976年	無伴奏清唱／同聲四部	《呂泉生歌曲集3》	＊屏東民謠 ＊詞：陳炳煌
		混聲四部	《呂泉生歌曲集5》	
《東家么妹》	1978年	混聲四部	《呂泉生歌曲集5》	＊四川民謠
《肯達基老家鄉》	1979年	獨唱及同聲三部	《呂泉生歌曲集5》	＊原曲：史蒂芬·佛斯特 ＊詞：蕭而化
《繡荷包》	1980年	無伴奏清唱／同聲三部	《呂泉生歌曲集3》	＊山西民謠
《小小世界》	1980年	同聲三部	《呂泉生歌曲集2》	＊狄斯奈樂園歌曲
《傻大姊》	1981年	混聲四部	《呂泉生歌曲集5》	＊蘇北民謠
		同聲四部	《呂泉生歌曲集》	

《數蛤蟆》	1981年	無伴奏清唱／混聲四部	《呂泉生歌曲集5》	＊四川民謠
《賞月舞》	1989年	同聲四部	《呂泉生歌曲集》	＊山地民歌
《耕作歌》	1989年	同聲四部	《呂泉生歌曲集》	＊山地民歌 ＊採譜：楊兆禎 ＊詞：游彌堅

採 譜 與 創 作 、 改 編 作 品

採譜曲	創作年代	出版紀錄	採譜年代	備 註
《一隻鳥仔哮救救》	1943年		1942年	＊嘉義民謠 ＊演唱：張文環
《六月田水》	1943年	《台灣文藝》， 3卷1號，1943年	1942年	＊嘉義民謠 ＊演唱：成哥
《丟丟銅仔》	1943年	《台灣文學》， 3卷3號，1943年	1942年	＊宜蘭民謠 ＊演唱：宋非我
《涼傘曲》	1948年		1943年	＊台灣民謠 ＊採集地：永樂市場 ＊原名：《農村酒歌》 ＊詞：居然
《山伯英台遊西湖》	1948年		1943年	＊台灣民謠 ＊採集地：永樂市場 ＊原名：《農村酒歌》 ＊詞：居然
《哭調仔》	1947年		1943年	＊採集地：永樂座 　歌仔戲班 ＊原名：《等待》 ＊詞：居然
《親睦歌》	1948年		1935年	＊採集地：日月潭 　水社 ＊原名：《快樂的 　聚會》
《來遊ヲ誘ウ歌》	1948年		1948年	＊採集地：日月潭 ＊原名：《邀遊》

《山地民謠》	1949 年		1948 年	＊採集地：電台內訪原住民採譜 ＊原名：《美麗的角板山》 ＊詞：翁炳榮
《粟祭の歌》	1949 年		1943 年	＊採集地：台東知本 ＊原名：《粟祭》 ＊詞：田舍翁
《客家曲調》	1954 年		1954 年	＊關西情歌 ＊採集地：關西 ＊原名：《爬山》 ＊詞：王毓驥

【資料來源】

1. 《呂泉生歌曲集 1》，兒童歌曲篇，台北，樂韻出版社，1996 年。
2. 《呂泉生歌曲集 2》，新編合唱曲，台北，樂韻出版社，1993 年。
3. 《呂泉生歌曲集 3》，創作合唱曲同聲篇，台北，樂韻出版社，1999 年。
4. 《呂泉生歌曲集 4》，獨唱曲，台北，樂韻出版社，1999 年。
5. 《呂泉生歌曲集 5》，創作合唱曲混聲篇，台北，樂韻出版社，1996 年。
6. 《呂泉生歌曲集》，最新創作與合唱，新竹，榮冠樂器行，1992 年。
7. 《匈牙利狂想曲第二號》，台北，樂韻出版社，2002 年。
8. 「筆者訪問紀錄」，係指筆者親訪呂泉生先生所得到的回應。
9. 洪綜穗，〈呂泉生作品與出版一覽表〉，《台灣兒童合唱音樂之父──呂泉生的音樂世界》，台中，台中縣立文化中心，1994 年。

◀ 樂譜《呂泉生歌曲集》
最新創作與合唱（榮冠
樂器行，1992年）。

▶ 樂譜《呂泉生歌曲集》兒童歌
曲篇（樂韻出版，1996年）。

◀ 樂譜《匈牙利狂想
曲第二號》（自製曲
譜，未公開出版）。

▶ 樂譜《匈牙利狂想曲第
二號》（樂韻出版，
2002年），附CD一張。

國家圖書館出版品預行編目資料

呂泉生：以歌逐夢的人生 / 孫芝君撰文. -- 初版.
-- 宜蘭縣五結鄉：傳藝中心，2002[民 91]
面； 公分. --（台灣音樂館. 資深音樂家叢書）
ISBN 957-01-3171-3（平裝）
1.呂泉生 – 傳記 2.音樂家 – 台灣 – 傳記

910.9886   91024002

台灣音樂館 資深音樂家叢書

呂泉生──以歌逐夢的人生

指導：行政院文化建設委員會
著作權人：國立傳統藝術中心
發行人：柯基良
　　　　地址：宜蘭縣五結鄉濱海路新水段301號
　　　　電話：（03）960-5230・（02）3343-2251
　　　　網址：www.ncfta.gov.tw
　　　　傳真：（02）3343-2259
顧問：申學庸、金慶雲、馬水龍、莊展信
計畫主持人：林馨琴
主編：趙琴
撰文：孫芝君
執行編輯：心岱、郭玢玢、巫如琪
美術設計：小雨工作室
美術編輯：艾薇、潘淑真、朱宜
出版：時報文化出版企業股份有限公司
　　　　臺北市108和平西路三段240號4F
　　　　發行專線：（02）2306-6842
　　　　讀者免費服務專線：0800-231-705
　　　　郵撥：0103854~0時報出版公司
　　　　信箱：臺北郵政七九～九九信箱
　　　　時報悅讀網：http:// www.readingtimes.com.tw
　　　　電子郵件信箱：ctliving@readingtimes.com.tw
製版：瑞豐實業股份有限公司
印刷：詠豐彩色印刷股份有限公司
初版一刷：二○○二年十二月二十日
定價：600元

◎本書圖片來源由呂泉生、賴美鈴、石婉舜、陳炎正、孫芝君提供。